# ORPHÉE
# L'ENCHANTEUR

*Collection dirigée par Marie-Thérèse Davidson*

© 2004 Éditions Nathan, Sejer, 25 avenue Pierre-de-Coubertin, 75013 Paris
Loi n° 49-956 du 16 juillet 1949 sur les publications destinées à la jeunesse,
modifiée par la loi n° 2011-525 du 17 mai 2011.
ISBN 978-2-09-282640-9

# ORPHÉE L'ENCHANTEUR

Guy JIMENES
Illustration : Élène USDIN
Dossier : Marie-Thérèse DAVIDSON

 Nathan

*Les * dans le texte renvoient au lexique en fin d'ouvrage.*

# PROLOGUE

Oublié dans un couloir, le coffre de bois était massif, garni de ferrures qui commençaient à se piquer de rouille. Que pouvait-il bien contenir ? L'enfant avait tenté plusieurs fois de l'ouvrir, en vain, le couvercle était trop lourd.

Il eut une idée. Le coffre ne fermait pas parfaitement. Il y glissa un morceau de bois qu'il utilisa comme un levier. Il réussit ainsi à soulever le couvercle et à le maintenir bloqué en appui sur le bâton.

Il regarda à l'intérieur. Cela sentait une curieuse odeur, mélange de bois, de fer, de terre humide. Dans

*Orphée l'enchanteur*

la pénombre du couloir, le coffre paraissait vide et profond comme un tombeau.

Il y glissa une jambe, puis l'autre. Quand il eut passé la tête, il heurta sans le vouloir le bâton de son épaule et le fit tomber. Le couvercle se referma brutalement sur son crâne. À demi-assommé, pris de panique, l'enfant vit un œil rouge qui l'observait dans l'ombre.

Il cria, cria de toutes ses forces, jusqu'à ce qu'un serviteur l'entende et vienne le libérer.

Ce même jour, à peine remis de ses émotions, l'enfant fit une étrange découverte.

En creusant un trou dans le jardin, il exhuma une tortue magnifique. Ses écailles avaient des reflets d'or. Mais il eut beau souffler dans les ouvertures de la carapace, l'animal ne sortit ni la tête, ni les pattes, ni le bout de la queue.

L'enfant ressentit une peine immense pour cette tortue. Il savait combien elle avait souffert. Il venait d'éprouver lui-même, prisonnier du coffre, l'abomination des ténèbres et du manque d'air.

La pensée de l'endroit où la tortue avait séjourné lui donnait le frisson. Il se dit que cette terre humide et collante le recouvrirait, lui aussi, un jour. Même les rois ne sauraient échapper à ce destin. Après la vie, la mort commençait, dans les profondeurs noires des Enfers*, séjour de tous les défunts : le royaume d'Hadès*, le dieu le plus effrayant qui soit !

Il allait lâcher l'animal et s'enfuir en courant quand deux pieds s'encadrèrent dans son champ de vision.

L'enfant remarqua de suite la propreté des sandales, décorées de deux pièces de cuir légères évoquant des ailes. Elles ne portaient aucune trace de poussière ni de boue, comme si leur propriétaire avait marché sans toucher le sol.

Il releva la tête. Il voyait cet homme pour la première fois. C'était peut-être le nouveau jardinier de son père. L'enfant se sentit fier de ne pas avoir montré sa frayeur à un étranger et de tenir encore fermement la tortue maculée de terre.

– Elle est morte, dit-il tâchant de prendre un ton désinvolte.

– Non, corrigea le jardinier, elle n'est pas morte. Les tortues agissent ainsi : elles s'enfouissent dans le sol pour y passer tranquillement l'hiver.

L'homme parlait d'un ton calme. Sa voix grave et douce dissipa les craintes de l'enfant qui proposa :

– Et si je la mettais au chaud dans l'écurie ? Sous la paille, elle serait au sec.

Le jardinier grimaça :

– Hmmm, ce serait une erreur. Les chevaux risqueraient de l'écraser sous leurs sabots.

Il avait raison.

– Remets-la dans son trou.

Il y avait quelque chose d'autoritaire dans cette injonction et l'enfant obéit sans plus se poser de questions.

Le jardinier s'éloigna alors en lui disant à bientôt.

Cette nuit-là, l'enfant rêva de tortues. Elles étaient petites et au nombre de sept. Elles se tenaient face à lui, en arc de cercle. La tête tendue hors de la carapace, elles ouvraient le bec, mais aucun son ne sortait de leur bouche.

Elles finirent par se rassembler et par se fondre jusqu'à n'en composer qu'une, une tortue unique aux écailles scintillantes, plus belle encore que celle du jardin.

C'était maintenant le jardinier qui la tenait. Il la portait au creux du bras gauche, comme une femme porte un bébé. Il lui caressa le ventre de la main droite, les doigts glissèrent sur le plat de la carapace, et la tortue se mit à chanter.

Elle semblait avoir plusieurs voix qui se mêlaient. Ce chant était si beau, si mélodieux que l'enfant, émerveillé, n'y résista pas. Encore engourdi de sommeil, il se leva de son lit et s'approcha du jardinier.

L'homme, alors, recula contre le mur et parut se dissoudre dans la pierre. L'animal qu'il tenait encore, et dont il avait tiré ces accents merveilleux, menaçait de disparaître avec lui. L'enfant en éprouva un chagrin atroce, il allait crier quand, au dernier moment, l'homme ouvrit les mains.

L'enfant recueillit la tortue juste avant qu'elle ne se fracasse par terre.

Il demeura perplexe. La carapace n'était qu'une coque vide. Deux montants de bois la prolongeaient sur ses flancs, comme les flèches d'un attelage en miniature, réunis plus haut par un joug.

Le chant entendu résonnait encore à ses oreilles. Machinalement, l'enfant imita les gestes de l'homme. Il ajusta l'étrange objet sur sa poitrine et caressa avec une infinie douceur le plat de la carapace.

Ses doigts rencontrèrent une légère résistance. Un fil, puis un autre, puis cinq encore. Sept fils tendus, qu'il n'avait pas distingués dans l'obscurité. Il les pinça l'un après l'autre et chacun rendit un son clair.

Pour la première fois, il sentit la lyre vibrer contre son cœur.

# CHAPITRE 1
# **JASON**

Orphée, de sa fenêtre, guettait anxieusement l'arrivée de Jason[1]. Des messagers venus d'Iolcos, quelques jours plus tôt, lui avaient annoncé cette visite. Il savait que le fils d'Æson projetait de prendre la mer pour une formidable expédition et qu'il réunissait un équipage. Jason comptait sur lui pour ce voyage, du moins les messagers l'avaient-ils laissé entendre :

– Ta réputation, Orphée, est parvenue jusqu'en Thessalie. Tu as inventé l'art de la poésie qui rend la

1. *Fils d'Æson, chargé de conquérir la Toison d'or.*

*Orphée l'enchanteur*

parole plus belle et plus harmonieuse ! Et ton chant possède la grâce de réconforter les cœurs.

« Les messagers ont dit vrai, songea Orphée. Mais je n'y ai pas grand mérite. La lyre qui m'inspire m'a été donnée par les dieux.»

Il se rappela ce froid matin d'hiver... Le roi Œagre, son père, réveillé par des sons nouveaux, était venu jusqu'à sa chambre. Orphée ne l'avait pas entendu, tout à sa musique et à son chant. Œagre s'était gardé de l'interrompre, fasciné par l'étrange histoire qu'il racontait, tentant avec une maladresse touchante de maîtriser les sons de la lyre.

Sa mère, la Muse* Calliope, les avait rejoints. Bien qu'habituée à chanter avec Apollon* devant les dieux réunis, elle avait gardé le silence, pour ne pas risquer de troubler la grâce de cet instant.

Dans la clarté naissante, elle avait été touchée jus-qu'à l'âme par la voix mélodieuse. Son enfant expri-mait le désespoir de voir la lyre disparaître, et puis la joie triomphale, quand l'instrument lui était tombé dans les bras...

Orphée croyait encore entendre son père :

– Ton chant est merveilleux. Mais de quel nouveau jardinier nous parles-tu ?

– Moi, je le sais, avait deviné Calliope. C'est le mes-sager des dieux, Hermès* aux pieds ailés, qui est appa-ru à notre fils pour lui apporter ce présent !

Orphée se troublait chaque fois à ces souvenirs. Comment oublier, en effet, que le don de la lyre avait succédé à un épisode, douloureux celui-là, où l'œil rouge lui était apparu au fond d'un coffre ? L'œil d'Hadès, il en était sûr. Et souvent la nuit, il revivait en songe ce moment terrifiant où il s'était trouvé aux portes des Enfers.

Il n'avait jamais parlé à personne de ces terreurs nocturnes. Et voilà que Jason lui demandait d'embarquer à bord de l'Argo. Orphée brûlait de se lancer dans cette aventure. Cependant, malgré les paroles flatteuses des messagers, il n'était pas certain d'en être capable :

« Bientôt, Jason sera là, songea-t-il. Quelle réponse lui donner ? »

Une galopade effrénée et le fils d'Æson pénétra dans la cour, sauta de son cheval et lança aux gardes :

– Menez-moi à votre maître !

Un moment plus tard, son pas résonna sur le dallage et il entra en conquérant. Il avait chevauché deux jours et deux nuits pour rejoindre le Rhodope[1], mais ne montrait aucune fatigue. C'était un véritable colosse, une force de la nature. Son visage carré, orné d'une barbe broussailleuse, exprimait toute sa joie d'être là.

Ils étaient à peu près du même âge et, bien qu'il

1. *Massif montagneux de la Thrace.*

dominât Orphée de la tête et des épaules, Jason s'inclina humblement devant lui :

— C'est un grand honneur de faire ta connaissance.

Orphée s'inclina à son tour, vaguement embarrassé :

— Bienvenue à toi, Jason. Tu dois être mort de faim et de soif. Voici de quoi te restaurer.

— Laissons cela, dit Jason. Je brûle de connaître ta décision. Acceptes-tu ma proposition ?

Orphée garda un moment le silence, cherchant les mots les plus simples qui sauraient convaincre son interlocuteur et atténuer sa déception.

— Je comprends mal ce que tu attends de moi, Jason. Je ne sais pas combattre. Pire que cela : j'ai banni toute violence de mon existence ! Je répugnerais même à tuer une mouche. Seule la poésie compte pour moi, tu le sais bien !

— Précisément ! Je n'aurais que faire d'un valeureux de plus ! Nous sommes déjà près de cinquante guerriers, impatients de braver les dangers ! Toi, Orphée, tu es unique. Le premier poète ! Tu possèdes seul l'art de toucher les cœurs. Tu sauras, par ton chant, nous encourager et nous réconforter dans l'adversité.

L'essentiel était dit. Orphée détourna la tête, touché par l'humilité de Jason et sa force de conviction.

— Eh bien, d'accord ! s'entendit-il répondre. Je partirai avec les Argonautes et tâcherai de me montrer digne de ta confiance.

Jason le serra dans ses bras à l'étouffer. Les pieds d'Orphée ne touchaient plus terre.

– Où dormirons-nous ? s'inquiéta-t-il un moment plus tard, alors qu'ils discutaient des dispositions à prendre.

Jason le regarda, étonné qu'il se souciât de ce détail.

– Dans l'Argo, tu veux dire ? Des filets nous serviront de couches.

– Mais ces filets, dans quelle partie du navire seront-ils tendus ? insista Orphée saisi d'une véritable appréhension.

– Dans la partie la plus tranquille et la plus tempérée qui soit : dans la cale.

Orphée blêmit. « Dans la cale » sonnait pour lui comme le couvercle d'un coffre de bois s'abattant sur sa tête.

– Qu'y a-t-il ? demanda Jason. Tu te sens mal ?

– Ce n'est rien. Un vertige. Cela va passer.

Orphée s'interdit d'avouer à Jason sa frayeur d'enfant. Il ne tenait pas à révéler qu'elle ne l'avait jamais quitté, et que tout lieu clos et sombre, cave, grotte ou souterrain, provoquait chez lui une angoisse insurmontable.

Il se ressaisit :

– Je dormirai sur le pont, à l'air libre, lança-t-il d'une voix ferme.

– Comme tu voudras, lui répondit Jason conciliant.

L'embarquement devait se faire dans quelques jours à Pagases de Thessalie, près d'Iolcos. Le chef des Argonautes proposa à Orphée de s'y rendre avec lui à cheval, mais il déclina l'offre. Il préférait la marche solitaire, qui lui permettrait de méditer et de composer des chants.

## CHAPITRE 2
# UN BERGER GOURMAND

La plaine de Thessalie s'épanouissait au printemps et déjà l'herbe se faisait rare. Il n'avait pas plu depuis des jours. Bientôt, les collines rocailleuses se dessécheraient les premières sous le soleil et le bleu du ciel.

Étendu sur le sol, à l'ombre d'un olivier, dans les stridulations des cigales, un jeune berger surveillait distraitement ses moutons. Il venait d'engloutir deux poignées de fèves, une trentaine d'olives, quatre fromages de brebis et il avait soif. Il pensa au ruisseau tout proche, où courait une eau claire. Mais la pesanteur du repas trop vite avalé lui ôtait toute envie de bouger.

Son troupeau s'agita soudain. Le berger se redressa d'un bond, portant instinctivement la main à sa ceinture, prêt à tirer de sa gaine de cuir le poignard qui ne le quittait jamais. Il regarda vers le gué.

Orphée venait de franchir le ruisseau et remontait la faible pente. Le berger ne décela en lui qu'un étranger, vêtu à la mode thrace.

Le voyageur portait un sac de toile sur l'épaule. Il devait marcher depuis quelques jours déjà. Le bandeau qui ceignait son front, retenant les boucles de ses cheveux noirs, était taché de sueur et de poussière.

Le berger se méfiait des Thraces, peuple rustre des montagnes. Mais il nota avec satisfaction que le marcheur n'était pas armé. A moins qu'il ne possédât une épée ou un arc dissimulé dans son sac. Soucieux de faire bonne figure, il salua l'étranger d'une main ouverte en signe de paix et d'amitié.

Orphée répondit aimablement à son salut et lança en riant :

– Une main ouverte et l'autre proche du couteau... Drôle de coutume ! Moi, je voyage sans arme.

Sa voix sonnait franc et clair, et pour la première fois l'accent thrace parut charmant aux oreilles du berger, qui ressentit une sympathie instinctive envers cet inconnu aux mœurs pacifiques.

– Sois tranquille, lui répliqua-t-il. Je ne te veux pas

de mal... Je m'appelle Aristée. Et toi, quel est ton nom ?

– Je te le dirai plus tard. Ne te vexe pas. J'ai une bonne raison pour cela, et tu la connaîtras, je t'en donne ma parole. Bavardons d'abord un moment, qu'en dis-tu ? Et mangeons ! Tes moutons se garderont bien tout seuls. J'ai cheminé sans pause depuis l'aube et je meurs de faim.

En entendant ces mots, Aristée se palpa le ventre et constata avec satisfaction que la sensation de pesanteur s'était envolée :

– J'ai faim, moi aussi ! se surprit-il à répondre. Malheureusement, j'ai épuisé toutes mes réserves.

– Ne t'en fais pas, le rassura Orphée, j'ai de quoi manger pour deux.

Ils s'installèrent près de l'eau, à la fraîcheur des aulnes. Avant toute chose, Orphée se lava les pieds, les mains et le visage. Il prit le temps, aussi, de nettoyer son bandeau et ses sandales qu'il mit à sécher sur une pierre.

Il s'apprêtait à savourer pleinement ce moment de détente passé en compagnie d'un simple berger. Il n'en connaîtrait pas de pareil avant longtemps. Le port de Pagases de Thessalie n'était plus très loin. Et si Orphée se réjouissait d'y embarquer à bord de l'Argo, il n'oubliait pas combien la mer est redoutable et pleine de dangers.

Il plongea la main dans son grand sac.

– Pas trop tôt ! lança Aristée qui se consumait d'impatience.

Cependant, Orphée ne sortit de son bagage... qu'un autre plus petit.

– Mieux vaut ne pas être pressé avec toi, soupira le berger.

Orphée rit et lui tendit généreusement le sac de provisions. Aristée procéda rapidement à l'inventaire :

– Olives, galettes de blé et d'orge, amandes, fromages secs et même un pot de lait caillé...

Orphée déjeuna frugalement, comme à son habitude, étonné par l'appétit de son compagnon.

– Dommage que mon sac de nourriture soit le moins grand des deux, déplora-t-il quand ils l'eurent vidé.

– En effet, approuva Aristée. Surtout que l'autre est bien rebondi. Tu transportes quoi, là-dedans ? Et si tu me disais enfin qui tu es et où tu vas ?

– Tu as raison, reconnut Orphée. Il est temps que je tienne ma parole... Tu as sûrement entendu parler du navire Argo...

Aristée qui mastiquait goulûment une galette recouverte de lait caillé manqua s'étrangler.

– Toute la Thessalie bruit de cette rumeur, dit-il les yeux brillants. Le roi Pélias a défié son neveu Jason de se rendre en Colchide pour y conquérir la Toison* d'or ! Et Jason a fait appel à ses amis : Thésée, Castor, Pollux, Boutès, Héraclès[1], et même Orphée, j'y pense, un

1. *Héros grecs parmi les plus fameux, pour la plupart fils de Zeus.*

Thrace comme toi ! Le navire Argo doit prendre la mer dans quelques jours...

Aristée parut se rendre compte alors de quelque chose. Son expression changea, devint sarcastique :

– C'est ça, ironisa-t-il, essaie de me faire croire que tu vas t'embarquer avec eux !

– C'est pourtant la vérité ! répondit Orphée.

Le berger fit claquer sa langue, agacé par la prétention du voyageur.

– Pardonne-moi, mais sans vouloir te vexer, tu n'as rien d'un guerrier, et encore moins d'un héros* !

– Que sais-tu des héros ? demanda Orphée au comble de l'amusement. En as-tu seulement approché ?

– Non, jamais. Cependant, il suffit de te regarder pour comprendre que tu n'en es pas un. D'abord, tu n'es pas armé. Imagine un peu Héraclès sans son arc ou Thésée sans son épée !

Aristée se tut, réjoui d'avoir eu le dernier mot. Alors, Orphée ouvrit tranquillement son gros sac et en tira ce qu'il tenait caché.

Le berger vit l'objet pour la première fois mais le reconnut instantanément, réalisant son erreur.

– ... ou Orphée sans sa lyre ! s'exclama-t-il complétant de lui-même sa remarque précédente. Par tous les dieux, tu es Orphée ! Orphée du Rhodope ! J'aurais dû m'en douter plus tôt !

# CHAPITRE 3
# AVEC LES ARGONAUTES

**O**rphée demeura un moment encore auprès d'Aristée. Le jeune berger ne se lassait pas de sa compagnie et le harcelait de questions : était-ce vrai que la lyre lui avait été donnée par Hermès ? Qu'il l'avait reçue enfant ? Et les sons qu'il en tirait, parvenaient-ils à charmer les animaux sauvages, comme on le prétendait ? Et même à déplacer les pierres ? Et les cours d'eau ?

– Assez ! finit par lui dire Orphée. Tu me soûles ! Tu comprends maintenant pourquoi je te cachais mon nom. Je sentais que cela nous gâcherait le plaisir d'un déjeuner tranquille et d'une conversation amicale.

Mais Aristée ne tarissait pas :

– Et le soleil ? demanda-t-il fasciné. On dit que tous les matins tu le fais lever en pinçant les cordes de ta lyre !

Orphée éclata de rire :

– Sois tranquille : le soleil se levait déjà quand je n'étais pas né, et il se lèvera encore longtemps après ma mort !... Mais il est vrai que j'aime honorer Apollon, le protecteur des arts. N'est-ce pas lui qui fait briller le jour de tous ses feux ? Je lui dois la lyre apportée par Hermès, messager de l'Olympe*.

Au fil des réponses, Aristée s'étonnait de l'humilité d'Orphée. Ce n'était pas ainsi qu'il l'avait imaginé. Certes, le Thrace ne niait pas les exploits qu'on lui attribuait, mais il n'en tirait aucune vanité.

Et comme sa lyre était décevante ! Près de l'endroit où s'attachaient les cordes, la carapace était ébréchée et marquée par les coups de plectre[1]. Le cuir à l'entour se décollait et l'un des montants avait été réparé par une pièce de bois. Assurément, l'instrument faisait de l'usage !

Seules les cordes étaient belles, diaphanes, presque transparentes. Aristée se risqua à les pincer. Il en tira de vilains sons étouffés, rappelant le bêlement d'un de ses béliers qu'il surnommait l'Enroué.

---

1. *Petite pièce en bois ou en os servant à faire vibrer les cordes.*

Orphée saisit la lyre et fit délicatement courir ses doigts sur les cordes. Après avoir improvisé un prélude, il composa une ode au jeune berger où il se moqua de sa goinfrerie.

– Tu vas chanter cela partout où tu iras ? s'enquit Aristée bouleversé quand le chant fut fini.

– En as-tu vraiment envie ? lui demanda Orphée. Cela pourrait te gêner que d'autres rient de ta gourmandise...

– Non, au contraire ! C'est la vérité que tu chantes, avec les mots de l'amitié.

Orphée trouva que c'était là un joli compliment et il en remercia Aristée.

– Ta compagnie m'a été des plus agréables, dit-il encore au berger. Mais il est temps pour moi de reprendre mon chemin.

– Attends, avant de partir ! supplia Aristée.

Il ramassa une pierre et grimpa à un arbre. Il était agile, malgré sa corpulence.

Orphée le vit frapper quelque chose. Aussitôt l'arbre se mit à vrombir furieusement. Aristée en redescendit en hâte, poursuivi par une nuée noire. Il tenait deux rayons de miel dans les mains et les brandissait d'un air victorieux.

– Mets-les dans ton sac !

Orphée accepta le présent mais reprocha à Aristée :

– Comment toi, un gardien de troupeau, peux-tu

agir de la sorte ? Tu as détruit le logis et la récolte de ces abeilles qui ne te voulaient aucun mal. Apprends donc à devenir leur berger !

Les lèvres dorées de miel et gonflées de piqûres, l'œil tuméfié, Aristée eut un sourire qui le fit ressembler à un satyre*.

– Peut-être nous reverrons-nous un jour, dit-il.

– Je nous le souhaite, répondit Orphée.


Il découvrit l'Argo depuis les hauteurs de Pagases et descendit vers la grève. Pour rejoindre Jason et ses compagnons, il dut fendre une foule compacte qui attendait depuis plusieurs jours le départ du navire.

Des murmures s'élevèrent :

– C'est Orphée ! L'équipage est maintenant au complet. Qu'on le laisse passer !

Et les gens s'écartèrent avec respect devant lui.

Très vite, la nouvelle de son arrivée parvint aux oreilles de Jason qui rassembla ses compagnons. Aussi, quand Orphée déboucha dans la partie dégagée et protégée par des gardes, se retrouva-t-il face à une cinquantaine de colosses au teint cuivré, aux jambes puissantes comme des colonnes de temple.

– Bienvenue à toi, Orphée ! lancèrent-ils comme un seul homme et leurs voix firent trembler le sol, entraînant les vivats de la foule.

Orphée à demi assourdi adressa un mot aimable à

chacun des Argonautes, et tous en furent flattés. Ses compliments étaient sincères : même si la plupart de ces héros n'avaient pas encore accompli le quart des prouesses qui allaient les couvrir de gloire, ils étaient déjà célèbres et Orphée avait eu vent de leurs exploits.

Sur la pente du mont Pélion qui dominait la mer, un nuage de poussière s'éleva et on ne tarda pas à entendre un bruit de galop. C'était le centaure Chiron, venu assister à la mise à l'eau de l'Argo et au départ des Argonautes. L'homme au corps de cheval s'avança vers Orphée.

– C'est moi qui ai convaincu Jason de faire appel à toi, lui assura-t-il. Cela ne m'a pas été très difficile : Jason t'admire, comme nous tous.

Chaque fois qu'on le complimentait, Orphée avait tendance à détourner la conversation.

– L'Argo semble un navire exceptionnel, lança-t-il. Quelle noble allure !

Ils firent le tour du bateau encore posé sur des rondins.

– Son bois provient des chênes du Pélion, expliqua Chiron. Je connais bien ces arbres, ma caverne se trouve là-haut, au milieu d'eux.

Orphée caressa de la main la coque du navire.

– Tu la sens vibrer sous tes doigts ? demanda l'homme-cheval. Un joueur de lyre perçoit cela, non ? La vie palpite dans ces fibres.

Orphée approuva gravement.

– Et son étrave a été taillée dans un des chênes sacrés de Dodone, compléta le centaure.

L'allusion était claire. Dodone était un lieu célèbre pour son oracle*. Les prêtres y entendaient l'avenir dans le bruissement des branches.

– Orphée ! cria une voix.

C'était Jason.

– Le départ est proche. Rendons hommage à Poséidon* avant de mettre l'Argo sur les flots.

On sacrifia cinq taureaux blancs et fougueux. Bien qu'il respectât et honorât les dieux, Orphée détourna le regard chaque fois que le prêtre sacrificateur leva sa lame.

Un banquet suivit le sacrifice*, puis vint le moment tant attendu de la mise à l'eau. Tirant fort à l'aide de puissants cordages, les uns devant la proue, les autres de part et d'autre de la poupe, les Argonautes firent glisser le navire sur son chemin de rondins avec une énergie mal répartie. L'embarcation piqua légèrement du nez.

Les compagnons de Jason redoublèrent d'ardeur et ne firent que l'ensabler davantage. Ils ne tardèrent pas à s'épuiser. La foule gardait le silence, craignant un mauvais présage. Le sang de Jason s'était figé dans ses veines, pareil au sable où s'enfonçait l'Argo. Alors s'éleva un chant doux, calmement accompagné par des accords de lyre.

La musique d'Orphée eut d'abord pour effet d'apaiser les cœurs. Les hommes échangèrent des regards surpris. Les sons jaillissaient, harmonieux, et s'ordonnaient peu à peu en un rythme régulier et prenant. Les Argonautes, ragaillardis, se saisirent des cordages. Le mouvement de l'un ne contrariait plus celui de l'autre, et l'Argo recommença à bouger. Il fut halé ainsi en cadence et, bientôt, flotta sur la mer.

## CHAPITRE 4
# LE CHANT DE MORT

**O**rphée se trouvait dans une caverne immense. Il pensa d'abord qu'il s'agissait de celle de Chiron. Mais elle avait quelque chose d'oppressant qui ne correspondait pas à l'amical centaure.

Il se sentait de plus en plus mal. Les parois de roche avaient l'air de se resserrer. Il examina plus attentivement la caverne. Oui, c'était certain : elle rétrécissait !

Il tenta de s'en échapper. Alors l'ouverture par laquelle il avait pénétré se referma sèchement. Il lui sembla qu'il n'était pas seul. Des gémissements lui parvenaient, des plaintes étouffées. Il osa se retourner pour affronter ces ombres qui le poursuivaient de leurs râles. Mais il ne vit rien. Si, pourtant : une lueur pas plus grande qu'un point, qui grandit, grandit pour devenir un œil rougeâtre dardé sur lui.

Il s'éveilla en sursaut et il lui fallut un moment pour comprendre où il se trouvait : en sécurité, la nuit, sur le pont de l'Argo.

– Le moment n'est pas encore venu, Orphée !

– Hermès ! murmura-t-il identifiant la voix.

En effet, le dieu aux sandales ailées se tenait près de lui, sous son apparence de jardinier. Orphée se redressa pour mieux le voir mais l'apparition s'évanouit, comme si elle avait fait partie du songe.

Il saisit son instrument posé à côté de lui. Cette fois, il ne chanta ni ne joua, pour ne pas déranger le sommeil de ses compagnons. Simplement, cela le réconforta d'étreindre la lyre.

Dans le balancement paisible de la mer, il contempla les étoiles prodigieuses. Et il chassa ainsi les sensations pénibles de son cauchemar.

« Le moment n'est pas encore venu »... Il réfléchit, les jours suivants, à ce qu'avait voulu dire Hermès. Que le moment de la mort viendrait, inéluctablement. Et alors ? C'était le lot de chacun : la vie avait une fin.

En attendant, Orphée s'interrogeait sur le sens de son rêve et sur l'insistance du messager des dieux à lui rappeler son destin d'homme.

Son voyage dura près de trois ans, trois années qui consolidèrent l'amitié et la confiance que Jason avait placées en lui.

Orphée assuma pleinement son rôle de guide et de pilote. Au contraire de ses compagnons, il ne s'employa jamais à ramer. Mais on le voyait la plupart du temps à la proue scrutant l'horizon.

– Je ne m'explique pas ce mystère, lui dit un jour Jason. Tu sembles faire corps avec l'Argo !

Orphée sourit :

– Ce navire est une lyre géante ! confia-t-il. Je perçois dans ma chair ses résonances, son harmonie.

Après la brève apparition d'Hermès, il avait acquis la certitude que rien de mal ne lui arriverait tant qu'il resterait à bord.

Les premières fois où il avait fallu accoster sur un rivage nouveau, pour reconstituer les réserves d'eau douce et de nourriture, Orphée s'était senti maladroit, titubant comme un homme ivre, et il avait choisi de ne pas s'éloigner du navire.

Et puis, au fil des escales, il s'était enhardi à pénétrer à l'intérieur des terres et s'en était trouvé récompensé. Il avait découvert ainsi de nouvelles contrées et lié connaissance avec leurs habitants.

On l'accueillait partout avec bienveillance. Et qu'importait s'il ne connaissait pas la langue du pays. La magie de la lyre opérait. Quelques notes égrenées, un chant, et les sourires s'épanouissaient, les mains s'ouvraient...

Un matin, Boutès s'activait à nouer trois longs et fins cordages. Orphée savait l'Argonaute expert dans l'art de confectionner des filets. Aussi observait-il avec intérêt les doigts agiles nouant un fil à l'autre avec une régularité et une efficacité stupéfiantes, à la façon d'une araignée tissant sa toile.

Quand le filet fut prêt, Boutès le lança par-dessus bord. Bientôt, la corde qu'il avait gardée en main se tendit.

– J'ai attrapé quelque chose ! se réjouit-il. Ça a l'air gros ! C'est peut-être un dauphin.

Il remonta sa prise et les Argonautes éclatèrent de rire.

– Curieux dauphin, Boutès...

C'était une tortue ! Son pêcheur la sortit du filet. Peu farouche, elle progressa maladroitement sur le pont glissant. Orphée admira ses pattes palmées, si différentes de celles des tortues terrestres.

Il avait déposé la lyre à ses pieds et la tortue vint l'examiner avec circonspection, avant de relever la tête pour considérer son propriétaire d'un air de souverain mépris.

Les Argonautes s'en amusèrent et Orphée lui-même éclata de rire quand la tortue, véritable reproche vivant, lui tourna ostensiblement le dos.

– Attends, Tortue, l'interpella-t-il. Ne te sauve pas !

Je comprends que tu sois rebutée par la matière de ma lyre. Cependant, réfléchis un peu : la mort d'une de tes sœurs donne vie à la musique ! Sans la rondeur de cette carapace et la texture de ces écailles, les cordes ne résonneraient pas aussi harmonieusement.

Il se mit alors à improviser :

*– Rien ne meurt dans le vaste monde,*
*et tout prend des formes nouvelles.*
*Que serait ma lyre sans toi ?*
*Tortue, tu portes le fardeau de l'univers,*
*le plat de ton ventre est la terre,*
*le ciel la courbe de ton dos.*

On disait d'Orphée qu'il charmait les animaux et personne ne fut surpris quand la tortue inversa son demi-tour et s'approcha pour mieux l'écouter, dodelinant de la tête. Lorsqu'il eut cessé de chanter, il la prit dans ses bras et la rejeta à la mer.

A quelques jours de là, les Argonautes arrivèrent en vue des Cyanées. Ces deux énormes rochers délimitaient un accès étroit dans des eaux bouillonnantes. Il aurait fallu pour les franchir sans risque une connaissance parfaite des divers courants qui s'affrontaient là.

– Je crois que j'ai une idée ! s'écria Orphée.

Se plaçant à la proue de l'Argo, il chanta son ode à la tortue. Celle-ci ne tarda pas à jaillir joyeusement à la surface de l'eau. Précédant le navire, elle lui ouvrit la voie !

Une seule fois Orphée connut la peur au cours de ce voyage. Le vent s'était levé et la mer devint grosse. Une brume grise se forma tandis que les rameurs retenaient le navire.

Orphée confia ses craintes à Jason :

– Sens comme l'Argo craque et gémit.

– Pour ma part, je ne suis pas inquiet, répondit le chef des Argonautes. Nous approchons d'une zone de récifs, mais nous avons les forces suffisantes pour ramer à contre-courant.

Ces paroles ne suffirent pas à rassurer Orphée. Il avait l'intuition d'un autre danger plus diffus, plus impalpable.

Le brouillard s'épaissit et il cessa de voir Jason. Il étendit ses bras et ses mains lui demeurèrent invisibles, englouties par la brume.

L'angoisse grandit en lui. L'espace se restreignait et la pénombre gagnait de toute part. Se pouvait-il que le *moment* annoncé par Hermès soit déjà venu ?

Un chant s'éleva alors, un chant nouveau, célébrant les exploits des Argonautes et leur promettant une gloire éternelle, les richesses, l'amour...

– Loué soit Orphée, disciple d'Apollon ! s'écria Héraclès lâchant son aviron.

– Montons sur le pont pour mieux l'entendre ! ordonna Jason à qui ses compagnons s'empressèrent d'obéir.

Orphée voulut corriger : « Non, Héraclès ! Non, Jason ! Vous faites erreur ! Ce n'est pas moi qui chante ! », mais les mots lui restèrent au fond de la gorge. Comme les autres, subjugué, il écoutait, et peu importait que l'Argo dérivât dans le courant : la voix tombée du ciel était douce, apaisante et promettait le bonheur.

« *Les* voix ! » corrigea-t-il soudain. Elle étaient au nombre de trois et Orphée se figura mentalement les trois fils de ce chant se croisant, se décroisant et composant une trame enveloppante, à la manière du filet que Boutès avait si habilement tressé.

– Compagnons ! hurla-t-il. Ce chant nous leurre ! C'est celui des sirènes ! Retournez vite à vos postes ! Nous courons à la mort !

– Tais-toi, répondit Boutès. Tu me gâches mon plaisir !

Des ailes battaient maintenant au-dessus du navire, et trois grands oiseaux blancs à tête de femme effleuraient les chevelures. Le chant s'amplifiait, distillant mieux encore son charme mortel.

Un instant, la brume se déchira, et Orphée vit le malheureux Boutès, rendu fou, sauter par-dessus bord. Sans perdre plus de temps, il prit sa lyre, en pinça les cordes et donna de la voix.

Les Argonautes protestèrent d'abord quand les deux mélodies se mêlèrent, s'accordant mal et offensant l'oreille. Orphée rendait note pour note, s'opposant aux accents poisseux des sirènes. Et c'était comme s'il défaisait, maille après maille, le piège dans lequel elles tentaient de les envelopper.

La poésie imposa bientôt sa vérité et sa grâce contre l'illusion. Le chant limpide d'Orphée submergea l'autre, le balaya comme une vague !

Comprenant qu'il leur était impossible de rivaliser avec lui, les créatures s'enfuirent en poussant des cris stridents qui achevèrent de dégriser les Argonautes.

En même temps que dans les têtes, la brume se dissipa sur les flots.

– Aux avirons ! hurla Jason. Gare aux rochers noirs !

Ils ne parvinrent que de justesse à éviter les récifs.

Quand l'Argo eut gagné des eaux plus clémentes, Orphée fut acclamé par tout l'équipage, loué pour sa perspicacité et son art. Héraclès alla jusqu'à parler de bravoure.

– Quelle bravoure ? répondit Orphée interloqué. Je n'ai fait que chanter !

L'expédition touchait à sa fin. Un soir, alors que l'Argo longeait un rivage de Thrace, Orphée demanda à Jason de le débarquer.

Quand vint le moment de la séparation, il pressa l'épaule du chef des Argonautes :

– Merci, ami. Grâce à toi, je reviens plus riche que je suis parti.

Jason comprit à quelle richesse son compagnon faisait allusion : celle de l'esprit et du cœur, non celle des biens matériels. D'ailleurs, Orphée le précisa :

– Je m'en reviens ébloui des merveilles du monde !

– Et moi, répondit Jason, je ne te remercierai jamais assez de nous avoir guidés. Chiron avait raison, la bravoure et la force ne sont rien si elles ne sont pas tempérées par la douceur et la clairvoyance. Et je me sens désorienté, tout à coup. Tu vas me manquer.

A sa descente de l'Argo, Orphée en palpa une dernière fois le bois. Une onde se propagea dans tout le navire. De la main ou de la coque, nul n'aurait su dire laquelle avait frémi la première.

En posant le pied sur la terre ferme, Orphée éprouva à la fois la joie d'être de retour chez lui et une impression moins agréable : le temps, en sommeil à bord de l'Argo, se remettait en marche et chaque instant, désormais, le rapprochait du *moment* annoncé par Hermès où son destin allait s'accomplir.

## CHAPITRE 5
# LE BERGER DES ABEILLES

C'était une dizaine de jours environ après son retour. Orphée était monté tout en haut d'une colline au pied de laquelle le fleuve dessinait une boucle, dégageant un espace de verdure qui ressemblait à un îlot. Les peupliers, les saules y maintenaient une fraîcheur agréable en ces jours torrides et Orphée appréciait cet endroit.

Descendant vers son « îlot », il découvrit, en aval du fleuve, les restes pestilentiels d'une génisse assaillis par des nuées de mouches.

L'animal aurait dû être dépecé et ses morceaux cuits pour être partagés et mangés. Ce n'était pas le cas. On

*Orphée l'enchanteur*

ne l'avait pas sacrifié selon les rites, mais simplement tué avec sauvagerie. La génisse gisait sur le flanc, et à la façon dont la tête avait été tranchée pour être exposée, le mufle tourné vers le sentier, la langue pendante, Orphée reconnut la signature des ménades*.

Depuis quelque temps, ce genre de « sacrifices » se multipliaient, non seulement dans le Rhodope mais dans l'ensemble de la Thrace. Dionysos* devenait une divinité chaque jour plus populaire et ses adeptes se complaisaient dans ces démonstrations sanglantes.

Orphée répugnait à verser le sang, ce n'était pas pour lui la bonne manière d'honorer les dieux. Il sentit son estomac se soulever et s'éloigna rapidement. Ayant enfin atteint son îlot, il se sentit mieux.

Il se rafraîchit le visage et la nuque et but une longue gorgée d'eau. Puis il s'assit sur un tronc d'arbre mort qu'une crue ancienne avait charrié là.

Il perçut tout à coup un froissement dans les herbes hautes, un piétinement effréné, une respiration haletante, qui lui firent craindre une bête sauvage.

Or, ce n'était qu'une jeune ménade, qu'il trouva sans grâce. Massive, les jambes courtes, elle passa à quelques pas de lui sans le voir, et disparut dans les joncs.

Nouveau froissement, nouveau piétinement, et du même endroit jaillit bientôt un homme à demi nu, barbu et luisant de sueur. Il ne vit pas non plus Orphée, mais, contrairement à la jeune fille, il s'arrêta net, se demandant par où elle avait pu s'enfuir. Il tourna la tête de  droite et de gauche et ses yeux finirent par se porter sur l'homme assis.

– Orphée ! s'écria-t-il.

Si le ventre avait pris du volume et si la barbe avait poussé, la voix était la même. Orphée l'aurait reconnue entre mille et il se réjouit de cette rencontre inopinée.

– Aristée ! Quel plaisir de te revoir ! Bavardons comme la dernière fois, à moins que tu ne préfères courser ta ménade...

Le berger eut un geste fataliste.

– Je la retrouverai bientôt ou un autre jour, répondit-il quand il eut repris un peu de son souffle. Tu n'aurais pas quelque chose à manger ?

Ils bavardèrent en grignotant des amandes. Aristée voulait tout savoir de l'expédition de l'Argo.

– Aie pitié d'un Argonaute fatigué de raconter ses aventures ! lui répliqua Orphée. Et dis-moi plutôt les tiennes. Que fais-tu dans le Rhodope, loin de ta Thessalie natale ?

– J'ai suivi ton conseil !

Orphée leva les sourcils. Aristée lui rafraîchit la mémoire :

– « Deviens leur berger ! », tu ne te rappelles pas ?

– J'y suis ! s'exclama Orphée. Les abeilles !

*Orphée l'enchanteur*

– Précisément ! Leur miel est un peu plus rare par ici, mais il est bien meilleur !

– Alors tu les élèves ? Mais comment ?

– Je les ai beaucoup observées, d'abord. Et depuis trois printemps, je parviens à capturer des essaims. Comment expliques-tu cela, Orphée ? Des milliers d'abeilles toutes ensemble comme une seule, des milliers d'aiguilles volantes qui, si elles se mettaient à piquer, tueraient net un taureau ! Pourtant, quand elles sont ainsi à la recherche d'un nouveau refuge, elles deviennent aussi inoffensives que des papillons... Alors je m'en empare et les dépose dans des ruches que j'ai préparées pour elles et où il m'est facile, ensuite, de récolter leur miel.

– Bravo, Aristée, berger des abeilles ! Je suis sûr qu'Athéna* veille sur ton rucher.

Mais un rire éclata et la jeune ménade de tout à l'heure pointa le nez. Visiblement, elle n'avait pas fui bien loin.

– Elle s'appelle Moïna, présenta Aristée fier de sa conquête. Tu te rappelles cette ode que tu avais composée en mon honneur ? demanda-t-il tout à coup à Orphée. Tu y célébrais ma gourmandise... J'en ai souvent parlé à Moïna.

– Bien sûr que je m'en souviens. Je me la chante quelquefois.

La ménade se tenait à l'écart.

— Approche, lui dit Orphée, ne sois pas farouche.

Elle obéit. À la considérer de près, il la trouva moins laide qu'il l'avait cru d'abord. Elle avait un regard pétillant de malice.

Il égrena le prélude et attaqua la chanson moquant aimablement la goinfrerie d'Aristée. Tout le temps qu'il chanta, Moïna porta sur lui un regard confit d'admiration.

— Bravo ! s'écria-t-elle transportée quand Orphée eut fini. J'ai bien reconnu Aristée le glouton ! Sais-tu ce qu'il me raconte, parfois ? s'enhardit-elle. Qu'il est le fils de la nymphe[1] Cyrène et qu'il a été conçu par Apollon !

Orphée écarquilla des yeux ronds et éclata de rire, tandis que le berger des abeilles, gêné, se dandinait d'un pied sur l'autre.

— Attends, ce n'est pas fini ! poursuivit Moïna. Il prétend avoir été éduqué, enfant, par le centaure Chiron. Je crois qu'il raconte tout ça parce qu'il te jalouse et qu'il s'invente ainsi une vie héroïque à l'image de la tienne !

Elle se tut brusquement, comme si elle se reprochait d'en avoir trop dit. Puis elle détala et disparut dans les herbes hautes.

— Elle est si jeune, marmonna Aristée. Aussi imprévisible que la course d'un lièvre.

---

1. *Les nymphes sont des divinités peuplant la nature.*

*Orphée l'enchanteur*

– Et avec ça bavarde comme une pie ! renchérit Orphée conscient de la gêne d'Aristée. Il n'empêche : je t'envie d'avoir une compagne ! Je n'ai pas ta chance.

– Et moi je n'ai pas celle de jouer de la lyre. As-tu vu comment Moïna te couvait des yeux ?

Et, s'étant rendu compte de l'amertume de ses propos, il ajouta, sarcastique :

– Nous voilà bien ! Chacun de nous envie l'autre... Les hommes ne savent jamais se contenter...

– Tu parles comme un sage, approuva Orphée.

– Peut-être, mais je chante comme une chèvre ! Et je produis en jouant du pipeau des sons plus aigres qu'un lait de trente jours ! D'où te vient, toi, ce talent ?

Orphée réfléchit un instant avant de répondre :

– Je ne le sais pas moi-même. Mon chant se nourrit de souvenirs, d'observations, de connaissances engrangées au cours de mes voyages... J'ai aussi l'impression, parfois, que quelqu'un d'autre parle par ma voix.

– Ce sont les dieux qui t'inspirent.

A ce moment, le vent apporta les relents de charogne de la génisse abattue au bord du fleuve. Aristée affecta de ne rien remarquer, guettant la réaction d'Orphée comme s'il la devinait déjà.

– Cette façon de tuer, cette sauvagerie... Ce sont elles, n'est-ce pas ? Ce sont tes ménades !

– « Mes » ménades ? Eh là, doucement ! se récria

Aristée. Ce n'est pas parce que Moïna est ma compagne que je suis leur ami à toutes !

Il marqua un silence avant de demander :

– C'est vrai que tu ne manges jamais de viande et que tu es opposé à tous les sacrifices ?

– Oui, c'est la vérité, confirma Orphée. Les dieux n'ont pas besoin que l'on verse le sang.

– Mais nous l'avons toujours fait !

– Est-ce une raison pour continuer ? Le petit d'homme sort du ventre de sa mère et commence par se traîner à quatre pattes. Doit-il pour cela ne jamais grandir ni se mettre debout ?

## CHAPITRE 6
# EURYDICE, PLUS BELLE
# QUE L'AURORE

**C**ette nuit-là, son cauchemar revint hanter Orphée. Il se trouvait emmuré vivant sous un amas de rochers, dans un espace noir et glacé, où luisait l'œil d'Hadès. Son propre hurlement le réveilla.

Un serviteur lui apprit que la terre avait légèrement tremblé. Sans doute l'avait-il perçu dans son sommeil. Il savait aussi que, par les songes, les dieux se rappellent aux hommes. Et c'était comme si le Maître des Enfers lui adressait cette mise en garde : « N'oublie pas le moment dont t'a parlé Hermès. Il approche. »

*Orphée l'enchanteur*

Comme chaque matin, il sortit avant l'aurore afin de rendre son culte à Apollon.

Il grimpa jusqu'à un promontoire, par un sentier longeant la forêt. A cette heure de l'aube, les chênes dégageaient une odeur suave qui le ravissait et la tentation lui vint de s'enfoncer dans le sous-bois.

Depuis trois matins, un rossignol chantait, toujours le même. Orphée se plaisait à imiter le chant de l'oiseau qui lui répondait à son tour, lançant des trilles de plus en plus compliqués.

Au sommet du promontoire dominant le fleuve, il s'arrêta. Une pierre plate lui servait d'autel ; il y disposa les fruits et les fleurs qu'il avait apportés en offrande*.

A l'horizon, le ciel rosit. Orphée prit alors sa lyre et chanta jusqu'à ce que jaillisse le disque du soleil, dans un flamboiement de tons ocres puis dorés.

Il ferma les yeux, aveuglé, heureux. Quand il les rouvrit, une jeune femme plus belle que l'aurore se tenait devant lui. La lumière produisait des effets de transparence et Orphée devina sa nudité sous la fine tunique de lin et les lignes douces d'un corps harmonieux.

– Je ne voulais pas me montrer, lui dit-elle, mais ton chant m'a subjuguée.

Sa voix rendait le son clair de l'eau des ruisseaux.

– Comment t'appelles-tu ? lui demanda-t-il

– Eurydice, répondit-elle.

Le nom l'effleura comme une caresse. Il se leva d'un bond, décidé à la serrer contre lui et à cueillir un baiser sur sa bouche mais elle se déroba. Il eut peur qu'elle ne s'enfuie et regretta de s'être montré trop impulsif.

– Pardonne-moi, lui dit-il.

Elle répondit dans un rire clair :

– Il n'y a aucun mal ! Ce serait plutôt à moi de m'excuser de troubler ta solitude.

Ils demeurèrent ainsi osant à peine se regarder, se rapprocher ou s'éloigner, de peur de briser le charme. Et quand Orphée, réalisant qu'il ne lui avait pas dit son nom, ouvrit la bouche, Eurydice parla aussi :

– Tu dois être ...

– Je suis...

Ils prononcèrent ensemble le nom d'Orphée et rirent de cette coïncidence.

– Je ne t'ai pas entendue arriver, lui dit-il.

– Nous autres dryades[1] avons l'art de marcher sans bruit. La forêt est notre domaine. Tu te souviens du rossignol ?

Elle lança le trille mélodieux et familier auquel il répliqua comme il avait coutume de le faire.

Il n'en revenait pas :

– Ainsi, c'était toi !

Elle reconnut l'avoir suivi pendant des jours avant

1. *Nymphes des forêts.*

*Orphée l'enchanteur*

d'oser l'aborder. De nouveau, un élan irrésistible le poussa à la prendre dans ses bras. Cette fois, elle ne se déroba pas. Elle détourna juste la bouche quand il voulut l'embrasser. Ses lèvres ne rencontrèrent que la joue d'Eurydice dont la peau était douce et parfumée. Il la serra plus fort et enfouit le visage dans sa chevelure.

Son cœur éclatait de bonheur. A vrai dire, il n'avait pas ressenti une telle émotion depuis que la lyre, apportée par Hermès, lui était tombée dans les bras.

Les dryades résidaient au cœur de la forêt, dans un palais d'eau et de verdure, secret, impénétrable.

Eurydice révéla tout à ses sœurs de son aventure amoureuse, sauf à Onéla, la plus jeune. Celle-ci se douta de quelque chose, et Eurydice finit par lui dire la vérité. Onéla s'enthousiasma, dévorée de curiosité :

– Orphée est-il aussi beau qu'on l'affirme ?

– Non, il est affreusement laid. Sa bouche a l'air d'un bec de tortue et sa peau est épaisse comme du vieux cuir.

La jeune dryade demeura interloquée. Eurydice avait du mal à garder son sérieux et son œil brillait d'un éclat malicieux.

– Tu te moques de moi ! protesta la cadette.

– Bien sûr qu'il est beau, s'attendrit Eurydice. Et ses lèvres sont chaudes et suaves.

– Il t'a embrassée !

Eurydice rit de l'expression d'Onéla.

– Toi aussi, un jour tu tomberas amoureuse, la conso-la-t-elle.

– Il me tarde d'avoir ton âge !... Eurydice ?

– Quoi encore ?

– Il a dû chanter pour toi et jouer de sa lyre. A-t-il vraiment du talent ?

Eurydice ne put s'empêcher de taquiner encore sa jeune sœur :

– Ma foi, la voix est assez jolie et les notes qu'il tire de son instrument sont correctes. Mais ce n'est rien à côté de la façon dont il murmure « Je t'aime » à mon oreille...

Onéla ramassa un peigne qui traînait là et fit mine de le lancer à la figure d'Eurydice avant de s'enfuir en criant à tue-tête :

– Eurydice est amoureuse !

– Chante-le au monde entier si tu en as envie ! murmura son aînée. Amoureuse je suis ! Amoureuse de l'homme le plus extraordinaire que j'aie jamais rencontré ! Oui, amoureuse !

Plus de dix fois encore, elle se délecta du mot.


Ils avaient pris l'habitude de se retrouver chaque matin. Eurydice le guidait dans cette forêt qui n'avait aucun secret pour elle. Il semblait alors à Orphée que le temps n'avait plus cours.

*Orphée l'enchanteur*

Émerveillés par la simplicité et la grâce de leur amour, ils voulaient tout savoir l'un de l'autre et s'arrêtaient souvent de marcher pour se contempler. Il la serrait dans ses bras.

– Mon Eurydice, lui murmurait-il.

– Orphée, mon Orphée ! répondait-elle.

Il rêvait de la prendre pour femme et d'avoir un fils à qui transmettre son art. Mais il s'effraya, un matin, à l'idée qu'Eurydice partageant sa couche puisse l'entendre geindre la nuit et crier de terreur comme un enfant.

Elle vit une ombre passer dans son regard.

– Qu'y a-t-il ?

– Rien... C'est sans importance.

Elle sentit sa gêne et n'insista pas. Elle lui parla de son art, lui dit toute l'admiration qu'elle éprouvait pour la beauté de son chant et la profondeur de sa voix...

Mais l'humeur d'Orphée demeurait sombre :

– M'aimerais-tu si je n'avais pas ce don ? lui demanda-t-il abruptement.

Elle fut blessée par cette question.

– Il est vrai, railla-t-elle, que je suis tombée amoureuse de l'illustre Orphée du Rhodope, le Héros à la Lyre...

Elle affectait de prononcer ces mots avec grandiloquence.

– Mes paroles ont dépassé ma pensée, regretta-t-il.

Je ne doute pas un instant de la sincérité de ton amour. Si je suis triste, c'est pour une autre raison.

– Écoute-moi bien, à présent, lui dit-elle encore. Je ne t'aime pas *seulement* pour ton art. Tu comprends ? Mais tu n'as plus chanté depuis notre première rencontre. Pourquoi m'interdire de t'aimer *aussi* pour cela ?

Il fut bouleversé par ces paroles.

– Demain, je chanterai pour toi, je te le promets. Et tu sauras ce qui me tourmente.

## CHAPITRE 7
# LA MORSURE DU SERPENT

**O**rphée tint sa promesse de jouer pour Eurydice. Il avait ajouté deux cordes à sa lyre.

– Elles nous correspondront, lui dit-il. Et je souhaite qu'elles rejoignent, dans l'harmonie, les sept cordes divines.

Il joua ce jour-là avec la certitude que sa lyre n'avait été inventée que pour chanter leur amour, et tout l'amour du monde s'en trouva célébré.

Un vertige le saisit : comme le Titan Prométhée[1] avait offert le feu aux hommes, lui Orphée leur apportait l'art

---

1. *Fils d'Ouranos (Ciel) et de Gaïa (Terre). Appartient à la génération de dieux qui précède celle de Zeus.*

*Orphée l'enchanteur*

de la poésie ! Et non pas une illusion d'art, trompeuse comme le chant des sirènes : un art véritable, reflet des passions humaines, un art puissant, capable de rendre les hommes meilleurs et sensibles à la beauté !

Il s'exaltait, exprimant toutes les nuances de sa pensée. C'était un bonheur pour Eurydice de l'entendre ; il lui semblait que les chênes de la forêt déployaient leur ramure pour l'écouter aussi. A cet instant, elle-même, la forêt, la Thrace, le monde entier avaient le sens que leur donnait Orphée.

Puis le chant s'infléchit, devint plus sombre. « Qui suis-je, moi petit humain, se lamenta-t-il, pour oser me croire un dieu et vouloir changer le cours du monde ? »

Il chanta alors sa douleur. Il fut question d'un coffre de bois où il s'était caché, enfant. Le lourd couvercle avait claqué au-dessus de sa tête, l'emprisonnant dans une obscurité de tombeau.

Sa voix faiblit, se réduisant à un filet, menaçant de s'éteindre, et Eurydice fut submergée par l'épouvante même que le petit Orphée avait ressentie.

Mais la voix reprit de l'assurance, et les doigts sur les cordes ne tremblèrent pas quand il évoqua l'œil d'Hadès, juste avant que le serviteur ne vienne le libérer.

La vie l'emportait sur la mort ! Orphée songea avec gratitude que l'amour d'Eurydice venait de lui donner la force, pour la première fois, d'exprimer son cauchemar et il se sentit délivré.

Elle garda en elle l'émotion de ce chant. Le soir, quand elle regagna son palais d'eau et de verdure, la voix vibrante et les accords de la lyre l'imprégnaient encore. Elle demeurait songeuse, toute frissonnante et les yeux brillants.

Onéla se méprit :

– Qu'y a-t-il ? demanda-t-elle inquiète. Vous êtes-vous disputés ?

Eurydice prit une profonde respiration :

– Non, au contraire ! Orphée m'a donné aujourd'hui une telle preuve d'amour ! Je pleure, certes, mais de bonheur.

Onéla écarquilla les yeux, stupéfaite. C'était donc cela, l'amour : être joyeux et triste à la fois ?

– Sa musique nous éclaire, dit encore Eurydice avec ferveur.

– « Nous éclaire » ? ! répéta en écho sa jeune sœur. Comme les lampes à huile ?

– Ne te moque pas, Onéla. Je ne suis pas folle. Orphée est le premier à chanter autre chose que les exploits des dieux et des guerriers. Il parle simplement de lui-même et livre ses émotions les plus intimes. Les Muses l'inspirent, il sait trouver les mots avec une telle sincérité, une telle justesse que nous nous disons, en l'écoutant : « Comme il dit vrai ! » Et nous croyons entendre notre propre voix.

*Orphée l'enchanteur*

Orphée ne tarda pas à faire sa demande en mariage. Le plus heureux des hommes, et guidé fièrement par la jeune Onéla, il gagna le palais des dryades qui avait quelque chose d'irréel, tant les arbres le dissimulaient habilement à la vue. Seul, Orphée n'en aurait jamais découvert l'accès secret.

Le père d'Eurydice était un vieillard au corps noueux d'un vieux chêne.

– Tu me prends la plus belle de mes filles, affecta-t-il de reprocher à Orphée, et ma maison perdra de sa gaîté sans elle. Mais je sais qu'elle t'a choisi autant que tu l'as choisie. Et je m'en félicite ! Ainsi, vous ne pourrez qu'être heureux ensemble.

Les noces eurent lieu à la fin de l'été.

Un cortège joyeux se forma dès l'aube, amenant Eurydice à la lisière de la forêt. Son père avançait lentement, lui donnant le bras. Autour d'eux, tout n'était que rires et chants. Aux dryades joyeuses et réjouies du bonheur de leur sœur se mêlaient d'autres nymphes venues des sources et des ruisseaux.

Un second cortège se constitua devant le palais d'Orphée et avança vers la forêt, longeant les prés. Le futur époux marchait en tête, son père Œagre et Chiron à ses côtés. Le centaure avait galopé toute la nuit pour arriver à temps. Ses premiers mots avaient été pour évoquer Jason et excuser son absence :

– Ne lui en tiens pas rigueur. Il vit des heures difficiles. Fassent les dieux que ton mariage soit plus heureux que le sien !

– Je n'en veux à aucun des Argonautes de ne pas être présent à mes noces, assura Orphée. Je sais trop quelle vie ils mènent, remplie d'épreuves et de trahisons. Mais où qu'ils se trouvent, je sais que chacun se réjouit de mon mariage.

Juste derrière eux marchait Aristée en compagnie de Moïna. Le berger des abeilles était fasciné par la présence de Chiron et ne perdait pas une miette des paroles échangées. Il se frottait de temps en temps les yeux pour s'assurer qu'il ne rêvait pas.

– Je ne vois pas ma mère, s'inquiéta Orphée. Où est-elle passée ?

– Je n'en sais rien, répondit Œagre.

Mais Orphée surprit une lueur amusée dans les yeux de son père et comprit qu'on lui cachait quelque chose.

Ils venaient de rejoindre le cortège d'Eurydice au bord de la forêt, quand un troisième groupe, uniquement composé de femmes, vint les retrouver. Elles étaient neuf, et leur chant s'éleva à l'instant même où le soleil les inonda de sa lumière.

Orphée échangea avec Œagre un regard empli d'émotion.

C'était un privilège d'entendre les Muses chanter ensemble. Avec la fierté et l'amour d'une mère, Calliope dominait leur chœur pour célébrer Orphée l'enchanteur et sa belle Eurydice.

Quand leurs voix se turent, Orphée s'inclina :

– Ce moment restera à jamais dans mon cœur ! Gloire à vous, Muses ! Et gloire à Apollon qui vous a inspirées !

Avec une solennité nouvelle, il prit la tête du cortège, Eurydice à son côté. Et tous se dirigèrent en procession vers la prairie où devait se tenir le banquet.

Un autel avait été dressé. Un prêtre les y attendait pour procéder à l'immolation d'une brebis et de deux chevreaux. Aristée s'approcha et souffla à l'oreille d'Orphée :

– Je ne comprends pas ! Tu as renoncé à tes idées ? Je te croyais opposé aux sacrifices.

– Je le suis toujours ! Je ne mangerai pas de viande. Légumes et fruits suffiront à me contenter. Mais est-ce une raison pour priver mes invités de leur nourriture favorite dans un moment de fête ? Je ne veux rien leur imposer. J'espère seulement les convaincre un jour par mon exemple.

Les trois fois où le prêtre abattit son couteau, Aristée observa son ami et constata qu'il détournait le regard. Mais le sang ayant coulé sur l'autel, Orphée surmonta son dégoût et vint aider le prêtre à dépecer les bêtes. Les os et la graisse furent brûlés en offrande aux dieux.

Peu avant la fin du banquet, Chiron se releva et détendit l'une après l'autre ses quatre pattes. Il devait s'en retourner chez lui.

– Qui est cette jeune ménade ? demanda-t-il à Orphée avant de partir.

– C'est Moïna, la compagne de mon ami Aristée.

– Je l'ai beaucoup observée. Elle ne vous a pas quittés des yeux, Eurydice et toi, et le regard qu'elle porte sur ton épouse est celui d'une femme jalouse. Méfie-toi d'elle. La haine couve dans son cœur et pourrait bien, un jour, s'embraser.

Aristée, la bouche pleine et les joues luisantes de graisse, entendit l'avertissement du centaure. Il blêmit. Moïna avait dû également surprendre les propos de Chiron : elle quitta brusquement le banquet. Aristée s'élança aussitôt à sa poursuite.


Le berger des abeilles ne rattrapa sa compagne qu'au bord de l'eau. Il lui saisit l'épaule. La jeune ménade se dissimula le visage dans les mains. Aristée lui écarta de force les poignets et l'obligea à le regarder.

Elle avait les yeux rougis, les traits dévastés.

– Chiron dit la vérité, n'est-ce pas ? lui lança-t-il. Tu aimes Orphée, et Eurydice te rend folle de jalousie !

Il eut envie de la frapper, mais elle se blottit tout à coup contre lui, éperdue de chagrin. « Elle est si jeune, songea-t-il, c'est encore une enfant. » Et il la serra contre lui, la cajola.

– Pardonne-moi, mon Aristée, lui dit-elle. Mais Orphée est si beau ! Et je me sens transportée par sa voix si douce, si profonde !

Quelque chose se figea dans le cœur du berger des abeilles. Il relâcha son étreinte et repoussa Moïna. Elle tenta de s'accrocher à lui.

– Ne me laisse pas seule, supplia-t-elle.

– Pour que tu me parles toute la soirée des mérites d'Orphée et de sa beauté ? ricana-t-il. Hors de question !

– Où vas-tu ?

Il ne se donna pas la peine de répondre.


Vers le milieu de l'après-midi, Eurydice voulut retrouver un moment la forêt qu'elle allait quitter pour vivre désormais auprès de son époux.

– Tu veux que je t'accompagne ? lui demanda Orphée.

– Non, sois tranquille, je serai vite de retour.

Elle marcha un moment au soleil et fut heureuse quand la fraîcheur des bois l'enveloppa. Elle avança au hasard des sentiers familiers, répétant à mi-voix : « J'ai épousé Orphée ! »... Elle murmurait aussi la formule de son père : « Je l'ai choisi et il m'a choisie. »

Elle avait parcouru ainsi une large boucle quand elle entendit qu'on la suivait. Elle se retourna. C'était Aristée. Que faisait-il là ? Il était seul, le regard empli de tristesse et d'amertume.

— Pourquoi me suis-tu ? lui demanda-t-elle.

Il hocha négativement la tête, surpris :

— Je ne te suis pas !

Elle reprit sa marche. Il la rattrapa et lui saisit le bras.

— Je suis là par hasard, insista-t-il avec force. Que vas-tu imaginer ? Nous nous sommes disputés, Moïna et moi, si tu veux tout savoir.

Cela sembla plausible à Eurydice. Elle s'efforça de lui parler avec calme :

— Tu me fais mal, Aristée. Lâche-moi, s'il te plaît.

Leurs visages étaient proches. Il ne put s'empêcher de plonger le nez dans sa chevelure odorante. Puis il la libéra. Elle se remit aussitôt à marcher.

— Attends ! lui cria-t-il. Ne te sauve pas.

— Nous n'avons rien à faire ensemble, répliqua-t-elle sans se retourner, au comble de l'irritation. Tu perds ton temps !

Il devina ce qu'elle voulait dire. Il n'était pas assez bien pour elle. Il ne valait pas Orphée. Qu'avaient-elles toutes ? Cela le mit en colère. Il courut, la dépassa et lui barra la voie.

— Un baiser pour te laisser passer, exigea-t-il. Je ne te forcerai pas. Je ne te demanderai rien d'autre. Un baiser, un seul.

— Va-t'en de mon chemin, lui jeta-t-elle excédée.

Et comme il ne libérait pas le passage, elle bifurqua

et se mit à courir, s'enfonçant de nouveau dans les fourrés.

Il resta un long moment immobile, tendu, occupé à reprendre son souffle.

Eurydice courait toujours. Elle ne redoutait plus Aristée, qui n'avait pas cherché à la poursuivre, mais Orphée lui manquait, elle avait hâte de le retrouver.

Elle déboucha dans un champ d'oliviers. Devant elle, la terre était fendue. En y regardant de près, Eurydice remarqua que l'ouverture, si elle n'était pas large, semblait profonde.

Un jeune figuier poussait là. Il embaumait. Elle le huma avec délectation et sentit une vive douleur au pied. Baissant les yeux, elle eut juste le temps de voir disparaître dans la faille le serpent qui venait de la mordre.

Un grand froid l'envahit. Elle comprit qu'elle allait mourir. Elle appela faiblement au secours. Personne ne l'entendit.

## CHAPITRE 8
# « OUVREZ-MOI CETTE PORTE... »

Le soleil déclinait, allongeant les ombres. Orphée jugea qu'il avait assez attendu.

– Eurydice m'avait dit qu'elle reviendrait vite. Il lui est peut-être arrivé quelque chose ! Il faut la retrouver.

Il se mit en chemin. Onéla et deux de ses sœurs l'accompagnaient. De la forêt, elles ne redoutaient rien. Quant au fleuve, il était peu probable que la jeune mariée s'y fût aventurée : elle n'aimait pas cet endroit que fréquentaient les ménades.

– Voyons du côté de la faille, proposa l'une des jeunes filles.

– De la *faille* ? s'étonna Orphée.

Elles lui expliquèrent que, lorsque la terre avait tremblé la nuit, quelque temps plus tôt, le sol s'était fendu aux abords d'un champ d'oliviers.

Orphée frémit, se rappelant son rêve, et il marqua le pas. Elles se retournèrent. Il leur fit le geste de continuer sans l'attendre.

« La faille ! » murmura-t-il épouvanté. Il se représentait la terre entrouverte comme une entrée du Royaume des Ombres, et il gémit malgré lui, luttant contre la familiarité poisseuse de son cauchemar.

– La voici !

Onéla vit, la première, Eurydice étendue, inerte. Elle se précipita sur le corps de sa sœur, pour sentir un souffle, un battement de cœur.

Orphée surgit et poussa un cri qui glaça tous ceux qui l'entendirent. Il se jeta à son tour sur le corps d'Eurydice, écartant sans ménagement Onéla.

Il étreignit sa femme, lui baisa le front, la bouche, tentant de trouver la vie en elle.

– Je sens sa chaleur. Hadès ne l'a pas encore prise !

– Regardez son pied, dit une des sœurs. C'est un serpent qui l'a mordue.

Orphée porta seul Eurydice dans ses bras et l'amena jusqu'au palais où il trouva Œagre et Calliope, anéantis par la nouvelle qui venait de leur parvenir.

– Mon père, redresse-toi ! implora-t-il. Et toi, ma mère, cesse de te lamenter comme une pleureuse ! Je vous dis qu'Eurydice n'est pas morte, cela n'est pas possible. Je ne le veux pas !

Epuisé, à bout de souffle, il déposa son épouse sur la couche nuptiale et demanda sa lyre. Un serviteur courut la lui chercher.

– Voyez ! s'étrangla-t-il dans un rire de triomphe. Les cordes sont intactes. Toutes les cordes, même celle d'Eurydice. Atropos[1] ne l'a pas tranchée !

Il délirait, imaginant les cordes de son instrument comme les fils des vies régies par les Moires*.

Il baisa de nouveau le beau visage de son épouse, lui souffla délicatement sur les joues, les lèvres.

– Sentez comme elle se réchauffe ! lança-t-il bientôt. Elle revient à elle.

C'était sa propre chaleur qu'il lui communiquait, mais personne n'osa le lui dire.

La nuit finit par tomber et Orphée dut se rendre à l'évidence : il n'y avait plus d'espoir. Éperdu de chagrin, il ordonna qu'on procédât à la toilette funèbre, qu'on parfumât Eurydice et qu'on la parât de tous ses bijoux.

1. *Une des Moires.*

*Orphée l'enchanteur*

Ses sœurs la revêtirent d'une tunique blanche et l'enveloppèrent d'un linceul ne laissant découvert que le visage. Dans la bouche de la défunte, Orphée plaça, comme le voulait la coutume, une pièce de monnaie en argent.

Il demanda à rester seul avec Eurydice et, dans l'obscurité de la chambre, s'étendit auprès de son aimée.

Ses yeux ouverts ne rencontraient que le noir de la nuit, le noir des murs et du plafond, l'absolu du noir se refermant sur lui.

Il se trouvait dans une obscurité d'outre-tombe et, pour la première fois de sa vie, n'en était pas épouvanté. Il en comprit la raison : vivre sans Eurydice lui serait impossible ! Il préférait la mort avec elle.

La mort ne l'effrayait plus !

Alors un espoir fou monta en lui : « Rien n'est perdu ! » songea-t-il tout à coup.

Il irait chercher Eurydice. Oui, il irait la chercher jusque dans les Enfers. Et il la ramènerait.

Il emporterait sa lyre et jouerait pour les dieux, afin de les convaincre de lui rendre son épouse. Il les attendrirait par sa musique. Et si Hadès, le plus terrible de tous, le plus insensible, ne cédait pas, eh bien Orphée resterait dans les Enfers ! Le couvercle du coffre pourrait bien s'abattre à jamais, le tombeau se refermer sans espoir de retour, il resterait auprès d'Eurydice.

Il se leva d'un bond, trouva sa lyre et sortit de la chambre. Une petite lampe brillait dans la pièce d'à côté où se tenaient parents, amis et serviteurs, restés là pour pleurer la défunte.

– Séchez vos larmes, leur lança-t-il. Je la ramènerai de sa mort.

Sa détermination était telle que personne ne douta qu'il fût capable de ce prodige.


La nuit était claire. Une nuit fraîche de fin d'été.

Orphée comprenait maintenant le sens de la parole d'Hermès à bord de l'Argo : « Le moment n'est pas encore venu. » Il avait cru que le faux jardinier évoquait sa mort à lui, son dernier voyage.

Il s'agissait en réalité de tout autre chose : cette descente aux Enfers n'était pas celle qui clôt la vie humaine. C'était un voyage *avec* retour. « Oui, je ramènerai Eurydice ! » ne cessait-il de se répéter.

Ses pas, tout naturellement, le conduisirent à l'endroit où elle était tombée, tuée par le serpent.

La faille ne permettait pas le passage. Cela n'entama pas sa détermination. Il accorda la lyre et bientôt sa voix jaillit dans la nuit, comme de son cœur même, au bord de se briser :

– *Eurydice, ma chère ombre,*

*Orphée l'enchanteur*

*c'est ici que les dieux t'ont ravie.*
*Pourquoi toi, mon amour ?*
*Pourquoi maintenant,*
*pourquoi déjà?*
*Ô Dieux, me laisserez-vous seul*
*dans ma douleur ?*
*Ouvrez-moi cette porte où je frappe en pleurant !*

Alors dans un bruit d'éboulis, la faille s'élargit, découvrant un vague chemin.

Les dieux avaient entendu sa requête. Sans hésiter, Orphée s'enfonça dans les profondeurs de la terre.

## CHAPITRE 9
# LA DESCENTE AUX ENFERS

**D**ans un chaos de roches, au milieu desquelles sinuait un sentier difficile, il avançait. Le sol qu'il foulait avait une consistance de cendre. L'air était brumeux, voilé.

Il marcha longtemps. Il n'était pas inquiet. L'amour d'Eurydice lui donnait le courage de vivre et la force d'aller de l'avant.

Dans le silence, ses pas étouffés par le sol cendreux, il se demandait depuis quand il s'était enfoncé sous la terre – le temps d'un clin d'œil ou d'une éternité ? – lorsque quelque chose gronda. Cela évoqua pour lui des rochers d'abord vacillant puis dégringolant au fond d'une gorge.

Le grondement cessa un instant et reprit, accompagné d'un nouveau bruit : celui d'une lourde chaîne entrechoquant ses maillons.

Des aboiements féroces retentirent. Orphée comprit qu'il était arrivé aux portes des Enfers et il sut ce qu'il allait trouver au détour du sentier.

Cerbère, le chien gardien, avait reniflé son odeur et cela le fâchait. Seuls les morts avaient le droit d'entrer. Les vivants, eux, n'avaient rien à faire ici.

Les aboiements de ses trois gueules se mêlaient, dans une haleine puante, pour effrayer l'intrus et lui interdire l'accès.

Orphée se baissa et ramassa un caillou plat et lisse comme un galet. Il avait déjà expérimenté une façon de jouer de la lyre en faisant glisser un tesson d'argile cuite sur les cordes en vibration. Cette technique lui permettait d'imiter le chant des oiseaux ainsi que la voix humaine, et de les moduler.

Cette fois, il émit des sons proches des geignements d'un chien. Intrigué, Cerbère dressa ses trois paires d'oreilles et cessa d'aboyer. Orphée reproduisait sur sa lyre les inflexions désespérées d'un mâle accablé d'avoir perdu sa femelle.

Cerbère vacilla sur ses pattes, éprouvant une souffrance nouvelle, comme si les colliers devenaient trop étroits autour de ses trois cous et le serraient à l'étrangler. Une pulsion, jamais éprouvée jusque-là, le fit s'apitoyer et il joignit ses couinements de brute aux plaintes de la lyre. Quand Orphée lui demanda de le laisser passer, le gardien des Enfers s'écarta sans difficulté. Il tourna docilement sur lui-même derrière sa queue de dragon et s'allongea contre le mur, à l'aplomb de l'anneau de sa chaîne.

Orphée s'avança. Deux des redoutables gueules se mirent à grogner, mais la troisième les fit taire d'un aboiement rauque.

Il passa, découvrant avec dégoût les serpents dont les trois colliers de Cerbère étaient hérissés ainsi que les os rongés des rares humains qui avaient tenté de forcer ce passage.

De l'autre côté de la porte, rien ne ressemblait à ce qu'Orphée avait pu connaître durant sa vie. Jamais il ne s'était trouvé dans un endroit aussi morne et qui exhalât une telle tristesse.

Dans cet au-delà erraient les ombres de ceux que la vie avait quittés, et qui attendaient de franchir l'Achéron. Son Eurydice se trouvait ici, il en avait la certitude, car les morts ne pouvaient franchir le fleuve tant qu'ils n'avaient pas reçu de sépulture.

Mais les ombres étaient si nombreuses ! Et celles qui venaient juste de mourir se perdaient parmi les défunts condamnés à errer pendant cent ans, faute d'avoir été enterrés dignement.

*Orphée l'enchanteur*

Orphée ne put s'empêcher de crier :

– Eurydice !

Une ombre lui fit signe et il marcha vers elle. C'était une autre Eurydice, il ne la connaissait pas, une vieille femme aux yeux creux qui lui caressa la joue d'une main décharnée. Il frémit à ce contact.

Alors il se remit à chanter et nul ne s'avisa de troubler son chant. Sa poésie et ses accords louaient l'amour d'Eurydice et pleuraient le chagrin de l'avoir perdue. Ils plaisaient aux morts, les distrayant de leurs propres souffrances.

Combien de temps chanta-t-il ainsi ? Qui pourrait le dire ? Les ombres s'écartaient devant lui, ouvrant le chemin jusqu'à la longue barque. Charon l'immortel, fils de l'Érèbe[1] et de la Nuit, l'aperçut. Long corps sec surmonté d'une tête lugubre, il effectuait le tri parmi les candidats au passage et prélevait l'obole dans leur bouche. C'était un être livide et sans pitié.

– De quel droit tentes-tu de gagner l'autre rive ? demanda-t-il. Ta place est parmi les vivants.

Mais il dit cela sans aucune conviction. Il avait écouté le chant d'Orphée et ses yeux de sable brillaient d'une émotion nouvelle.

– Monte quand même, ordonna-t-il.

Orphée sauta dans la barque.

---

1. *Divinité personnifiant les ténèbres.*

Aristée marchait le long du fleuve. Il avait appris la mort d'Eurydice et ne trouvait pas le sommeil.

Aurait-elle été mordue par un serpent s'il ne l'avait pas contrainte à fuir? Probablement pas. Elle aurait pris un autre chemin que celui de la faille. Il n'avait pas voulu la tuer. Cependant, elle avait cessé de vivre à cause de lui.

Le cri de bête poussé par Orphée lui vrillait encore les tympans. Il se boucha les oreilles. Peine perdue, Orphée criait toujours dans son souvenir. Comme il faisait mal, ce cri ! Aristée n'en avait jamais entendu de semblable.

Il contempla le courant qui dansait, reflétant les étoiles. On disait qu'Orphée était descendu aux Enfers ! Si c'était vrai, il n'en reviendrait jamais. Aristée raisonna à mi-voix :

– En admettant même qu'il échappe à Cerbère, comme il a échappé aux sirènes, et en imaginant que le vieux Charon le laisse passer...

Il se tut, incapable d'en dire davantage. Il y avait un nom qu'il valait mieux ne pas prononcer.


– Hadès ! murmura Orphée. C'est vers toi que j'avance.

Il était depuis longtemps descendu de la barque et il faisait face, à présent, aux Trois Juges debout, raides et casqués.

Il les supplia par son chant de le laisser passer et de lui indiquer le chemin conduisant au Maître des Enfers.

*Orphée l'enchanteur*

Les Juges, chargés d'orienter les morts, parlèrent d'une seule voix, statuant sur son sort :

– Qu'irais-tu faire dans les tourments du Tartare ? Ton âme est juste, Orphée. Les Champs Élysées te conviendraient davantage... Mais tu es vivant ! Nous ne pouvons rien pour toi, que compatir à ton profond chagrin. Va, Orphée, va où tes pas te mènent. L'amour d'Eurydice ouvrira devant toi un chemin inédit.

Ils s'écartèrent et Orphée découvrit qu'il se tenait face à un mur. Qu'importait ? Il avança d'un pied ferme, les pierres n'avaient aucune consistance, il les traversa sans effort et, comme l'avaient annoncé les Juges, il traça lui-même son chemin.

Il marcha sans frayeur, chantant toujours sa peine, jusqu'à parvenir à un escalier de marbre noir qui s'enfonçait dans les profondeurs.

Il descendit lentement, longuement, toujours chantant, indifférent à l'œil d'Hadès surgi du fond de sa mémoire, œil de la mort entrevu dans le coffre de bois.

D'autres marches encore, qui montaient cette fois. Orphée les gravit avec lenteur, conscient de la solennité de ce moment et se préparant à la confrontation. Et c'était comme si, en un jour lointain de l'enfance, le dieu des Ténèbres et le petit humain s'étaient fixé rendez-vous ici et maintenant.

Il sentit tout à coup une désolation, un vide immense et glacial dévorant toute chaleur, toute lumière, tout espoir. Alors Hadès se matérialisa devant lui. Le dieu était assis sur son trône. A son côté se trouvait Perséphone, son épouse. La voix d'Orphée se fit plus vibrante encore, son chant redoubla d'émotion :

– *Ô Hadès, je ne suis pas venu ici visiter tes sombres merveilles pour en rapporter quelque gloire. Je suis venu à toi humblement, inspiré par l'amour et déchiré par le chagrin. Ma chère Eurydice est morte, mordue par un serpent, et je t'implore de défaire un moment le destin que tu lui as choisi. Soumis à tes lois, nous autres mortels rejoignons tôt ou tard ton royaume. Accorde-moi cette faveur : redonne vie à mon Eurydice, afin que nous puissions connaître, elle et moi, une existence heureuse. Et si tu me refusais cette grâce, je suis décidé à mourir pour demeurer aux Enfers, auprès d'elle.*

Il se tut. Perséphone s'était caché le visage dans les mains. Une larme perla de l'œil d'Hadès et roula comme un diamant aux pieds d'Orphée.

– N'y touche pas ! lança le dieu d'une voix jaillie du plus profond de la Mort. Elle te glacerait le cœur... Ton pouvoir est grand, Orphée du Rhodope, et je t'accorde la faveur que tu me demandes. Je vais conduire ton épouse auprès de toi, mais je t'interdis de poser les yeux sur elle, tu m'entends ? Tant que vous n'aurez pas quitté mon royaume, elle et toi, tu ne lui adresseras pas la parole, ni ne lui donneras la main, ni ne te retourneras pour la regarder.

## CHAPITRE 10
# VERS LA LIBERTÉ

**A**insi en avait décidé le Maître des Enfers et c'était une torture pour Orphée de se comporter comme si Eurydice n'existait pas. Comme il lui tardait d'être sorti pour pouvoir la serrer enfin dans ses bras !

Il franchit en sens inverse le chemin accompli. Dans le regard des Trois Juges, puis dans celui de Charon, il tenta de déceler un indice, un reflet de la présence de son aimée. Mais chacun d'eux lui opposa un visage impassible. Et quand il arriva auprès de Cerbère, l'horrible créature ouvrit à grand peine un œil sur les six.

Quelle distance leur restait-il encore à parcourir sur le sentier de cendre ? Il reconnut les éboulis de rochers noirs et eut envie de hâter l'allure. Il ne le fit pas, craignant de fatiguer Eurydice par un rythme trop soutenu. Peut-être se ressentait-elle encore de la morsure du serpent.

Tantôt, il brûlait d'envie de hurler son bonheur : il avait réussi, il avait surmonté les dangers, bravé les interdits, simplement avec sa lyre et la puissance de son amour !

A d'autres instants, il trouvait le silence terriblement désolant, et lugubre cette marche de leurs deux solitudes.

Il se consola en se disant que chaque pas les rapprochait de la liberté.

Onéla se trouvait seule auprès de la morte. La chambre était maintenant éclairée par la lueur de l'aurore. Déjà les cigales stridulaient. La journée allait être encore plus chaude que la veille. Un jour d'été comme un autre. Sauf qu'Eurydice n'était plus qu'un cadavre.

La jeune dryade réussit à endiguer ses larmes. Toute la nuit, elle n'avait fait que sangloter, joignant ses lamentations à celles des pleureuses qui s'étaient engouffrées dans la chambre, dès qu'Orphée en était sorti.

Comme le voulait l'usage, on avait placé un vase empli d'eau devant la maison. Il n'y avait aucun doute, Eurydice était bien morte, et Orphée était fou d'imaginer qu'il pourrait la ramener des Enfers !

Avec un sentiment de répulsion, Onéla réalisa que le corps de sa sœur ne tarderait pas à se décomposer. Il faudrait l'enterrer vite.

Orphée distingua la lumière du jour. L'ouverture de la faille était toute proche.

Il aurait dû se sentir heureux. Il s'en revenait en vainqueur. Il ramenait Eurydice des Enfers. Elle serait bientôt à la surface de la terre, rayonnante de joie parmi les siens trop tôt quittés. Et une vie de bonheur les attendait, tous les deux. Une vie où le serpent n'aurait jamais mordu, et où tout cela n'aurait été qu'un mauvais rêve.

D'où provenait alors cette sourde inquiétude qui le gagnait à mesure qu'ils s'approchaient du monde des vivants ?

Un courant d'air lui caressa le visage. Il perçut les arômes de thym et de figuier que la nature exhalait au petit matin. Eurydice les percevait-elle aussi ? Sentait-elle déjà la vie revenue en elle, ou bien lui faudrait-il attendre d'être sortie ?

A l'instant même où ils s'apprêtaient à franchir le dernier raidillon, Orphée s'arrêta comme frappé d'un coup de poignard.

Et si Hadès l'avait dupé ? S'il avait fait en sorte qu'Eurydice ne l'eût pas suivi, s'il l'avait gardée parmi les ombres ?

« Non, tenta-t-il de se persuader, au contraire ! J'ai ému Hadès, jusqu'aux larmes ! Et ma pauvre Eurydice doit s'impatienter de me voir ainsi hésiter et prolonger inutilement son tourment. »

Résolument, Orphée monta vers la lumière.

*Orphée l'enchanteur*

A peine se trouva-t-il à l'air libre que le poignard du doute le frappa à nouveau. « Jusqu'aux larmes ? » Allons donc ! Une seule avait perlé, singulière, dure comme un diamant et plus froide que la mort ! Comment Hadès pourrait-il être ému par la douleur d'un homme ? C'était impossible ! Le dieu s'était moqué de lui et l'avait laissé revenir seul à la surface de la terre.

Orphée se retourna en criant de toutes ses forces :

– Eurydice !

Il voulait qu'elle l'entende à l'autre bout des Enfers et il s'apprêtait à plonger une seconde fois dans les ténèbres pour la rejoindre.

Mais elle était là !

Son Eurydice, belle comme à l'instant de leur rencontre dans le soleil levant, et revêtue de ses habits de noces.

*Elle était là !*

Comment avait-il pu en douter ?

– Qu'as-tu fait ? lui dit-elle avec une incompréhension déchirante.

Et comme elle devint pâle, tout à coup.

– Qu'as-tu fait ? répéta-t-elle vaincue.

Saisi d'effroi, Orphée sentit le sol trembler et vit la faille se refermer sur son épouse.

Il sanglota, s'arrachant les ongles à creuser la terre de ses mains pour qu'elle s'ouvre à nouveau. Il supplia le dieu de lui permettre de rejoindre Eurydice. Cette fois, il ne chanterait plus. Il voulait simplement mourir, oui, être mort auprès d'elle, partager à jamais son destin.

Mais Hadès demeura sourd à ses supplications. Il lui avait donné sa chance et Orphée l'avait gâchée.

« Qu'as-tu fait ? » Les mots d'Eurydice lui creusaient un abîme dans le cœur. « Qu'as-tu fait ? » C'était à peine une question, plutôt le constat déchirant de son erreur. Il s'était retourné à l'instant même où elle allait franchir la lisière des Ténèbres et s'en revenir à la vie.

– Eurydice, sanglotait-il, mon Eurydice !

Onéla se pencha pour baiser le front de la morte et sa surprise fut grande de voir les traits d'Eurydice affermis dans une expression à la fois d'attente et de joie. Un bref instant, elle eut le sentiment que sa sœur allait s'éveiller, revenir à la vie et un espoir fou monta en elle.

Et puis le visage de la morte retrouva son immobilité et Onéla éprouva de nouveau tout le poids de sa peine.

## CHAPITRE 11
# L'INCONSOLÉ

C'était un automne venteux et pluvieux, le septième suivant la mort d'Eurydice. Un orage menaçait. Les nuages arrivaient de toute part, comme s'ils s'étaient donné rendez-vous au-dessus du vallon. Très vite, le ciel devint noir.

Depuis qu'il pratiquait l'art d'élever les abeilles, Aristée récoltait son miel deux fois l'an, au printemps et à l'automne. Il calcula qu'il arriverait avant la pluie et aurait le temps de prélever ses rayons. Il devrait faire attention : l'orage rend toujours les abeilles fébriles et agressives.

Il s'attendait à trouver ses ruches bourdonnantes mais, dans cette clairière où il les avait installées, elles demeuraient étrangement silencieuses.

*Orphée l'enchanteur*

– Elles ont fichu le camp ! s'affola-t-il.

Il tâcha de se raisonner. Ce n'était pas la saison où les abeilles essaiment. Et même lorsqu'elles partent au printemps, pour constituer une nouvelle colonie, elles ne s'en vont jamais toutes et le rucher maintient son activité.

Pris d'un mauvais pressentiment, Aristée ouvrit ses ruches l'une après l'autre, tandis que les premières gouttes s'écrasaient au sol.

Les abeilles gisaient les unes sur les autres, composant des amas secs et dorés que le vent d'orage commença à disperser.

– Mortes ! déplora Aristée. Toutes mortes !

Indifférent à la pluie qui s'abattait en lames froides, il se laissa tomber par terre, anéanti.


L'orage surprit Orphée et deux de ses neveux à qui il enseignait la musique. Ils décidèrent de gagner le porche à colonnes, face aux écuries du palais, pour se mettre à l'abri.

La petite fille peinait à suivre son frère. Elle ne courait pas assez vite et le premier coup de tonnerre, juste après un éclair long et verdâtre, l'avait terrorisée. Elle s'affolait, redoutant un châtiment de Zeus*.

Orphée confia sa lyre au garçon et prit la fillette dans ses bras. La force avec laquelle elle s'accrocha à son cou, collant sa joue contre la sienne, fit monter en lui une émotion nostalgique. Comme il aurait aimé avoir des enfants d'Eurydice !

Tout le ramenait à son amour perdu. Le temps avait beau passer, le souvenir se maintenait intact, la douleur restait aussi vive.

Aux yeux du monde, il était devenu l'Inconsolé, le Veuf. Il avait eu le courage insensé de plonger au cœur des Ténèbres.

– Quel courage ? répliquait-il agacé quand il entendait cela. C'était de l'amour !

On s'émerveillait de son histoire, qui lui conférait une gloire immense. Plus grande encore que celle due à son talent de poète, ou à ses exploits à bord de l'Argo.

Et on se désolait : cet amour absolu pour Eurydice avait causé leur perte. Orphée n'avait pu s'empêcher de poser les yeux sur elle, bravant l'interdit, dans sa hâte à la revoir !...

Il savait que cela n'était pas tout à fait la vérité, et il s'interrogeait souvent, lui-même, sur ce regard qu'il n'avait pu retenir.

Son neveu fut le premier à s'abriter sous le toit de chaume du porche. Orphée vint le rejoindre et garda la petite dans ses bras.

L'orage dura longtemps. Enfin, un ultime et bref déluge s'abattit après le dernier coup de tonnerre. Le garçon n'avait pas lâché la lyre, la protégeant de la

*Orphée l'enchanteur*

boue qui inondait le porche. Tandis qu'une pluie fine et silencieuse succédait aux trombes d'eau, l'enfant égrena les notes d'un prélude et chanta :

*– Quoique jeune sur la terre*
*je suis déjà solitaire*
*parmi ceux de ma saison...*

Peut-être son neveu l'ignorait-il, Orphée avait improvisé ce chant sur la tombe d'Eurydice, le jour de son enterrement. Sa chanson s'était gravée dans la mémoire et dans le cœur de ceux qui l'avaient entendue. Et elle s'était colportée, de bouche à oreille. Il arrivait assez souvent qu'on l'entendît fredonner par une servante ou un pâtre.

– Alors ? demanda anxieusement le garçon quand il eut terminé. Que penses-tu de ma façon de chanter ?

Orphée dissimula sa profonde émotion.

– Tu as bien le temps pour des chansons aussi mélancoliques, répondit-il. Tu es si jeune !

Réalisant la déception de l'enfant, il dit encore :

– Mais j'ai aimé ton interprétation si juste et pleine de sensibilité.

Satisfait, le garçon tendit la lyre à son oncle pour se mettre à glisser en riant dans la boue grasse et onctueuse, comme le faisait sa sœur depuis qu'Orphée l'avait reposée à terre.

Aristée surgit alors, trempé de la tête aux pieds et se lamentant :

– Mes abeilles... Mortes ! Toutes mortes !

– A cause de l'orage ? lui demanda Orphée.

– Non. C'est Athéna qui m'a puni, j'en suis sûr !
Voilà pourquoi je suis venu te parler.

Un mot en entraînant un autre, il révéla à Orphée
comment il avait poursuivi Eurydice, le jour de la
noce, pour obtenir un baiser.

– Si elle n'avait pas quitté le sentier à cause de moi,
elle ne serait pas passée par la faille, conclut–il, et le
serpent ne l'aurait pas mordue.

Orphée, abasourdi, médita un instant sur ce qu'il
venait d'apprendre.

– Je ne crois pas qu'Athéna ait été offensée, finit-il
par assurer. Si tel était le cas, la déesse aurait depuis
longtemps fait périr tes abeilles.

Aristée ne fut pas pleinement convaincu par cet
argument, mais il s'inclina, soulagé. Orphée ne lui
adressait aucun reproche, et c'était là l'essentiel. Il
n'eut pas de mots pour exprimer sa gratitude :

– Tu es... grand, Orphée ! fut tout ce qu'il trouva à
dire. Tout de même... ajouta-t-il. Je sais que tu n'y es
pas favorable, mais je ferai offrande d'un taurillon à
Athéna.

– Si cela peut apaiser ta conscience...

Avant de repartir, Aristée prévint Orphée :

– Les jours prochains, ne t'aventure pas vers le fleuve.
Les ménades y préparent leur grande fête du vin, et tu

sais comment tournent parfois leurs orgies...

— Tu vois encore Moïna ? demanda Orphée.

— Non, répondit Aristée. J'ai cessé de l'aimer voilà bien longtemps.

Tandis que le berger des abeilles s'en allait le cœur plus léger, Orphée sentit le sien peser d'un poids supplémentaire. Ainsi le destin d'Eurydice avait-il tenu à si peu de chose : à l'égarement passager d'Aristée.

Comment les dieux pouvaient-ils tolérer cela ?

— Ton ressentiment est grand contre nous ! dit une voix derrière lui.

Il s'était approché sans bruit. Ses pieds, contrairement à ceux d'Aristée ou d'Orphée, étaient d'une propreté absolue, malgré la boue.

— Je me réjouis de te voir, répondit Orphée. Sois le bienvenu, Hermès aux semelles de vent. Tu avais si vite disparu, jadis, à bord du navire Argo... Je suis content que tu accèdes enfin à ma prière, depuis le temps que je te réclame !

— Qu'as-tu donc de si important à me demander ?

— Une chose, une seule, que je brûle de comprendre. A quoi bon m'avoir donné Eurydice, si c'était pour me la reprendre ? lâcha Orphée avec amertume.

— Voilà bien les humains, toujours à déplorer leur sort et à fuir leurs responsabilités ! La vérité est que tu as manqué de confiance.

– Les dieux n'en méritent aucune, répliqua sèchement Orphée. Hadès m'a piégé. Il savait que je finirais par me retourner. Je n'ai été qu'un jouet entre ses mains.

– Ne te méprends pas, Orphée. Je ne parlais pas de ton manque de confiance en Hadès, mais de ton manque de confiance en *toi*.

– En moi ? s'insurgea Orphée. Moi qui aime Eurydice et qui n'ai jamais douté de mon amour pour elle, même au plus profond des Enfers !

– Il ne s'agit pas de cela. Il s'agit de ton art.

Et le dieu aux sandales ailées ajouta :

– Hadès a pleuré.

– Pleuré ? Parlons-en ! Une larme, rien qu'une. Et de glace !

– La seule dont il fût capable, Orphée. Tu l'as réellement ému. Ton pouvoir est immense. Plus grand que tu ne le crois.

– Non, Hermès. Mon pouvoir est amer. Il a le goût de la cendre. Car si tu dis vrai, alors le monstre inhumain c'est moi-même, et je suis seul responsable de mon tourment...

– J'ai un message à te transmettre, soupira Hermès. Le moment est venu, cette fois.

## CHAPITRE 12
# LE SOURIRE D'ORPHÉE

–Le moment est venu, cette fois.

Orphée comprit qu'il allait mourir et la pensée de retrouver bientôt Eurydice lui fut d'un grand réconfort.

Il se rappela avec précision le jour où Hermès lui était apparu pour la première fois dans le jardin de son père. Le rêve des tortues et le don de la lyre comptaient parmi les moments les plus extraordinaires et les plus heureux de sa vie.

C'était alors l'hiver, se souvint-il ému, une saison trompeuse où les tortues s'enfouissent et où les graines se laissent oublier au creux de la terre, pour mieux s'épanouir aux beaux jours.

*Orphée l'enchanteur*

Son expédition à bord de l'Argo, elle, avait commencé un printemps. Le printemps de sa jeunesse.

Orphée se plaisait à dérouler le fil de sa vie au regard des quatre saisons.

Un été, en son âge d'homme, il avait rencontré Eurydice. Un été d'éblouissement, puis d'ombre. Se souvenant alors de l'avertissement d'Hermès, il avait considéré son cauchemar du coffre comme une prémonition de sa descente aux Enfers. Mais non, il s'agissait bien de l'annonce de sa propre fin.

– Le moment est venu, cette fois.

Et sur ces mots, le dieu messager avait pris congé à sa manière évanescente.

Une feuille se détacha d'un arbre et tomba en tourbillonnant. La fin de la chanson interprétée par son neveu s'imposa à Orphée, qui se mit à chanter :

– *C'est la saison où tout tombe*
*aux coups redoublés des vents.*
*Un vent qui vient de la tombe*
*moissonne aussi les vivants.*

Puis, tranquillement, il prit le chemin du fleuve.

Les pattes entravées par des cordes, la génisse était maintenue couchée, la tête appuyée sur une pierre de marbre. Elle roulait un œil affolé mais avait cessé de meugler et de se débattre. Elle sentait la fin toute proche et l'inutilité de ses efforts.

Moïna abattit à deux mains sa courte épée sur le cou de l'animal et le trancha net.

Dans les derniers soubresauts de la bête, les ménades s'abreuvèrent à cette fontaine bouillonnante et s'en recouvrirent le corps. Elles allaient la poitrine nue. Les longues mèches de cheveux poissées de sang leur collaient au visage, leur donnant des expressions d'une sauvagerie intense.

Moïna les trouva belles et se sentit fière de faire partie de leur clan. Fière aussi d'avoir décapité la bête du premier coup. Elles se mirent à danser autour du cadavre, se grisant d'un vin puisé dans une jarre. C'était un breuvage âpre et salé. Après en avoir bu de longues rasades, elles claquaient la langue contre le palais et c'était à qui produirait le bruit le plus fort. Elles inventèrent ainsi un rythme qu'elles répétèrent en cadence.

– Il nous manque Aristée et son pipeau, plaisanta l'une d'elles.

Et toutes s'esclaffèrent.

– Ou Orphée et sa lyre, lança une autre.

Cette fois, personne ne rit. Le seul nom d'Orphée avait quelque chose de sacré et elles répugnaient à l'associer à leur sarabande.

Mais la ménade qui avait fait cette proposition s'indigna :

– Que redoutez-vous, mes chéries, à prononcer son nom ? Je n'ai pas peur, moi. *Or-phée, Or-phée, Or-phée !* scanda-t-elle brandissant le poing.

Toutes l'imitèrent, bientôt, se délectant à brailler.

Toutes sauf Moïna. Une ménade s'en rendit compte.

– De quoi tu as peur ?

– De rien.

– Alors viens ! Qu'est-ce que tu attends ?

– *Or-phée-du-Rho-dope !   Or-phée-du-Rho-dope !* martelaient-elles maintenant. Chante, chante avec nous !

Se laissant prendre à l'implacable sortilège du rythme, Moïna rejoignit ses compagnes.

– *Rho-dope... Or-phée-du-Rho-dope...*

Marchant vers le fleuve, Orphée entendit les ménades. Il s'approcha et les découvrit dans la lueur des torches, criant et dansant autour de la génisse décapitée. L'odeur du sang chaud lui souleva le cœur.

Il songea un instant à prendre sa lyre et à chanter pour réduire à néant cette mascarade, comme il l'avait fait du chant des sirènes, mais il y renonça. Il n'était pas venu pour cela.

Il sentit un regard sur lui. Une ménade sortit du cercle en titubant, les seins maculés et portant une épée sanglante à la ceinture.

Il reconnut Moïna qu'il n'avait pas revue depuis le jour des noces. Elle avait grandi, pris des formes, elle était une femme, à présent.

Ivre de vin et de danse, elle le regarda avec incompréhension, avant de se persuader que la seule force de leur incantation avait suffi à amener ici le grand Orphée du Rhodope.

Il souriait, confiant : il avait pris une décision irrévocable et se trouvait en paix avec lui-même.

Moïna se méprit sur le sens de son sourire. Elle crut qu'il lui était destiné. Aussi s'approcha-t-elle dans l'intention de se coller lascivement à Orphée.

Il la repoussa d'une main ferme et elle fut dégrisée, comprenant tout à coup à qui s'adressait ce sourire : à une ombre au-delà des vivants, à Eurydice.

Une expression haineuse tordit alors ses traits et elle cracha au visage d'Orphée. Puis, se retournant vers ses compagnes :

– Le voilà ! hurla-t-elle dans un cri de rage triomphante. Loué soit Dionysos ! Il nous a entendues !

Et elle brandit son épée pour contraindre Orphée à la suivre jusqu'au centre du cercle, tout près de la bête abattue.

Sous les acclamations des ménades, elle lui ordonna de se mettre à genoux. Il obéit avec indifférence, sans se départir de son calme  et de son irritant sourire.

*Orphée l'enchanteur*

– Il a sa lyre ! éructa Moïna. Voilà tout le pouvoir d'Orphée. Détruisons-la !

Des cris de joie accueillirent ces paroles.

Tenant toujours son épée d'une main, Moïna tenta, de l'autre, de briser l'instrument en le fracassant par terre. Elle échoua.

– On ne détruit pas ainsi un présent des dieux, dit Orphée.

– Les cordes ! cria une ménade.

Mais l'épée de Moïna ne parvint qu'à en trancher deux, celles qu'avait rajoutées Orphée.

– Quelle prouesse ! railla-t-il d'une voix claire et vibrante d'où la peur était absente. La corde d'une vie déjà prise et celle d'une autre, proche du tombeau...

Et pour hâter la fin :

– Eurydice ! lança-t-il fièrement. Mon...

Moïna ne voulait pas en entendre davantage. Elle brandit son épée à deux mains dans un large et rapide mouvement circulaire.

La tête d'Orphée roula à terre. Les yeux demeurèrent grands ouverts, narguant les ménades pétrifiées. La bouche articula une dernière fois : « Eurydice ! »

Le silence était absolu, mais Moïna se boucha les oreilles.

# ÉPILOGUE

ristée était ivre. Allongé dans l'herbe, une cruche de vin à portée de main, il contemplait le ciel. C'était une nuit douce et étoilée.

– Tu regardes souvent la voûte céleste ? demanda une voix enjouée.

Aristée s'était cru seul. Se redressant sur le coude, il découvrit de l'autre côté de la cruche un homme étendu la nuque dans les mains.

– Eh, d'où tu sors, toi ? lui demanda-t-il.

L'étranger sourit.

– Me permets-tu de goûter à ton vin ?

Et sans attendre la réponse d'Aristée, il prit la cruche et but à la régalade.

– Hmmm... Excellent, divin, un vrai nectar !

– Je le coupe avec du miel, révéla Aristée flatté, et j'y ajoute aussi une décoction de feuilles de menthe.

Il voulut préciser autre chose mais la tête lui tourna et il dut s'étendre. Il réalisa que l'homme ne lui avait pas encore dit son nom. Cela lui rappela sa première rencontre avec Orphée.

– Ainsi, tu l'as bien connu... constata l'étranger.

Aristée sentit ses cheveux se dresser.

– Tu lis dans mon esprit ? interrogea-t-il. Comment sais-tu que je pensais justement à lui?

– A Orphée ? Eh bien, parce que tu viens de m'en parler !

– Le vin doit m'embrumer la tête ! Qu'est-ce que je t'ai dit à son propos ?

– Qu'il était ton ami.

– Et quoi d'autre?

– Que son épouse Eurydice était morte par ta faute.

– Les dieux m'ont pardonné ! se récria Aristée. Et Orphée aussi. La veille de sa mort, je lui ai tout raconté. Et puis je me suis absenté plusieurs jours à la recherche d'un taurillon que je voulais sacrifier à Athéna... Si j'avais su ce qui allait se produire, je ne serais pas parti.

Aristée sentit sa gorge se serrer.

– Eh bien, et ce taurillon ? demanda l'autre.

– J'ai fini par le trouver et par le mettre à mort. Tu ne devineras jamais : quelques jours après le sacrifice un énorme essaim est sorti de ses entrailles !

Aristée se revit ce matin-là s'enveloppant le cou de ces milliers d'abeilles solidaires et douces, et les ramenant jusqu'à son rucher.

– La vie renaissait de la mort ! J'ai compris alors qu'Athéna m'avait pardonné. Et je me dis parfois qu'Orphée a plaidé ma cause auprès des dieux.

– Ton histoire est belle, Aristée.

– Comment sais-tu mon nom ? !

– Mais... tu viens de me le dire ! affirma l'homme. Et sa bouche se fendit d'un sourire malicieux.

– Encore ce fichu breuvage qui me joue des tours, marmonna le berger des abeilles.

– Que sais-tu de la mort d'Orphée ? demanda l'étranger avec une gravité nouvelle.

– Je sais ce qu'on m'en a dit. Les ménades lui ont coupé la tête et l'ont...

Aristée s'interrompit. Il répugnait à parler de cela. Le bruit courait que Dionysos lui-même, qu'elles honoraient, les avait durement punies d'avoir tué Orphée.

Il se redressa et but à son tour pour trouver le courage de continuer :

*Orphée l'enchanteur*

– Elles ont été prises de folie. Elles l'ont démembré, coupé en morceaux et ont éparpillé ses restes. Sa tête n'a jamais été retrouvée, ni sa lyre.

– Je peux te dire ce qu'elles sont devenues, assura l'homme.

– Vraiment ? s'étonna Aristée surmontant un nouveau vertige et se concentrant pour bien écouter.

– Nombreux sont ceux qui affirment avoir vu, au soleil levant, la lyre flottant sur le fleuve avec, posée dessus, la tête d'Orphée chantant le bonheur de revoir bientôt son Eurydice. On dit qu'Apollon l'a protégée durant tout son voyage et que la tête, ainsi, est allée jusqu'à la mer...

– Ton histoire est encore plus belle que la mienne, lui dit Aristée avec une fêlure dans la voix.

– Regarde, lui montra l'étranger au-dessus d'eux. Les étoiles sont innombrables, et il en est de nouvelles depuis quelque temps, qui dessinent une lyre. Si les poètes finissent par mourir, la poésie, elle, est immortelle et Orphée l'enchanteur l'aura offerte à l'humanité !

Mais voyant qu'Aristée sombrait dans la mélancolie, l'homme lança cette plaisanterie :

– Peut-être auras-tu un jour, toi aussi, tes étoiles dans le ciel...

– La constellation du pipeau ! railla Aristée avec un geste obscène. Les ménades me plaisantaient beaucoup à ce sujet...

Il renifla, s'essuya le nez d'un revers de coude et reprit à boire.

– A quoi bon être triste, berger des abeilles ? lui lança l'autre.

– Mes larmes ne sont pas seulement de tristesse, répondit Aristée avec une voix nouvelle, raffermie. Elles sont aussi de colère et d'amertume.

Dans la confusion de son ivresse et la nostalgie d'Orphée, il s'émerveillait et se désolait à la fois. Le monde était fait de miel et de fiel. Bonheur et malheur se mêlaient étroitement et il n'était jamais facile d'y voir clair.

Heureux Orphée, s'il avait trouvé sa lumière.

# Généalogie d'Orphée

Ouranos     +

Cronos + Rhéa

Zeus     +

9 muses dont
Calliope

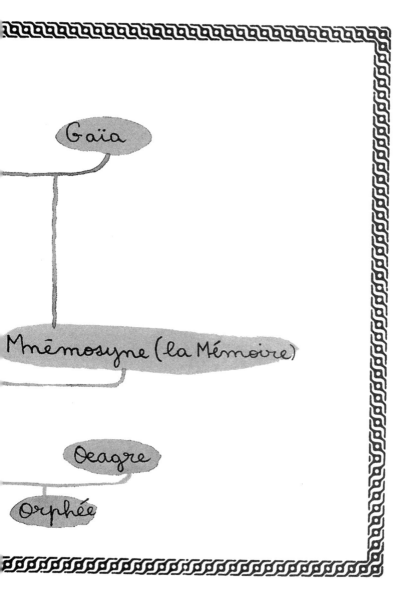

- **Le monde d'Orphée** -

# POUR MIEUX CONNAÎTRE ORPHÉE

## L'ORIGINE D'ORPHÉE

Comme la plupart des personnages mythologiques, Orphée a une origine **légendaire**. Mais aux yeux des Grecs, il a longtemps été considéré comme un personnage **historique** : à la fois fondateur de la poésie et — après son voyage aux Enfers — inspirateur d'une religion, l'orphisme.

Même s'il semble être connu depuis la plus haute Antiquité, il n'apparaît pas dans la littérature grecque avant le début du V$^e$ s. av. J.-C., et il y est seulement cité en tant que premier des poètes (dans le temps et par sa valeur) ; ou amoureux parfait ; ou encore fondateur de l'orphisme.

Les plus beaux récits qui nous ont transmis sa légende sont l'œuvre de poètes romains.

### ▦ Orphée dans la poésie gréco-romaine

- *Les Argonautiques*, long poème d'Apollonios de Rhodes (Grec du III$^e$ s. av. J.-C.), se limitent pour nous au rôle joué par Orphée lors de la conquête de la Toison d'Or ;

– *Les Géorgiques* (livre IV), poème de <u>Virgile</u> (33-29 av. J.-C.), évoquent, à propos des abeilles, Aristée et la mort d'Eurydice, la descente aux Enfers d'Orphée et sa mort ;

– *Les Métamorphoses* (livres X et XI) d'<u>Ovide</u> (2-8 ap. J.-C.) relatent les mêmes faits, sans faire allusion à Aristée, en insistant sur le pouvoir exercé par Orphée sur tous les êtres, animaux, plantes et pierres.

Ainsi, la légende d'Orphée compte deux épisodes : le voyage sur la nef Argo, et son amour pour Eurydice, qui l'entraîne aux Enfers. Il est en même temps celui dont la poésie tient l'univers sous le charme, et l'amant qui brave la mort. C'est d'ailleurs indirectement cet amour absolu qui provoque sa propre mort, puisque les ménades (ou d'autres femmes selon les textes) sont jalouses de sa fidélité à Eurydice.

Quant à la religion qui se réclame de lui, nous l'évoquerons plus loin.

## LES VOYAGES D'ORPHÉE À TRAVERS LES ARTS
▦ Théâtre

Alors qu'Orphée n'apparaît pas dans la tragédie* antique, il devient personnage central de bien des pièces de théâtre dès la fin du XV$^e$s. en Europe. Citons parmi les plus connues :

- *Le mari le plus sûr*, de <u>Lope de Vega</u> (Espagne, fin XVI<sup>e</sup> s.) ;
- *Le divin Orphée*, de <u>Calderon</u> (Espagne, XVII<sup>e</sup> s.) ;
- *Orphée*, de <u>J. Cocteau</u> (France, 1927) ;
- *Eurydice*, de <u>J. Anouilh</u> (France, « pièce noire » de 1941).

## Cinéma

Au cinéma, Orphée est le héros des films suivants, adaptations de l'histoire originale :
- *Orphée* (1949) ; puis
- *Le testament d'Orphée* (1963) de <u>J. Cocteau</u> ;
- *Orfeu negro*, transposé au Carnaval de Rio, de <u>M. Camus</u> (1959) ;
- *Parking*, version moderne de <u>J. Demy</u> (1985).

## Musique

Mais imagine-t-on Orphée sans la musique ? Dès 1600, il devient héros d'une multitude d'opéras et de cantates. Nous ne citons que les plus célèbres :
- *Orphée et Eurydice*, de <u>C. W. von Gluck</u> (1762) ;
- *Orphée aux Enfers*, féerie parodique de <u>J. Offenbach</u> (1858).

## Poésie

Orphée, le poète accompli, a souvent été source d'inspiration pour la poésie :

- *Nouvelles Poésies* (« Orphée, Eurydice, Hermès » ) (1907-08) ; et *Sonnets à Orphée* (1923), de <u>R. M. Rilke</u>.

### ▦ Arts plastiques

Enfin, certains épisodes de la légende d'Orphée ont été abondamment traités par les arts plastiques : **peinture, céramique, mosaïque ou sculpture**, de l'Antiquité grecque la plus reculée à aujourd'hui.

- *Orphée charmant les animaux*, ou établissant la paix dans l'univers ;
- *Orphée et Eurydice*, le plus souvent aux Enfers ;
- *La mort d'Orphée*, déchiré par les Ménades.

Ces thèmes sont tous représentés sur des vases grecs ($V^e$-$III^e$ s. av. J.-C.), sur des mosaïques le plus souvent romaines ($I^{er}$-$III^e$ s. ap. J.-C.), et dans de très nombreuses œuvres modernes. Outre <u>G. Moreau</u> (1826-1898), qui a peint plusieurs toiles sur le sujet, des artistes aussi divers que <u>A. Dürer</u> (1471-1528), <u>N. Poussin</u> (1594-1665), <u>Rembrandt</u> (1606-1669), <u>J-B.C. Corot</u> (1796-1875), <u>E. Delacroix</u> (1798-1863), <u>R. Dufy</u> (1877-1953), <u>P. Picasso</u> (1881-1973), <u>O. Zadkine</u> (1890-1967) ont dessiné, gravé, peint ou sculpté Orphée.

## ORPHÉE, LA POÉSIE, L'AMOUR, LA MORT

Orphée, nous l'avons dit, est d'abord l'**amoureux** parfait, celui qui vit son amour jusqu'à défier la mort. Mais la mort qui le couronne peut signifier que tout amour est voué à l'échec.

Orphée est aussi le **premier des poètes**, et sur la nef Argo, son pouvoir est immense : c'est lui qui fait le lien entre visible et invisible, entre divin et humain, tel un prêtre ou un prophète. Il est ainsi le symbole du rôle sacré joué par le poète, l'artiste, auprès des hommes.

Enfin, c'est grâce à la poésie, non à l'amour, qu'il **pénètre chez Hadès**. Dès le XIXe s., les artistes sont bien plus intéressés par cette facette du héros, qui devient ainsi leur symbole : symbole de tous les poètes, de tous les artistes qui défient l'ordre établi, qui prennent tous les risques pour aller au bout de leur art, au bout d'eux-mêmes.

Aux yeux de certains, il indique aussi la proximité de l'art avec la mort, la fascination que celle-ci peut exercer sur les artistes.

Pour d'autres enfin, la descente aux Enfers, dans un autre monde, représente l'expérience de la folie, toujours proche pour eux de l'expression artistique.

## L'ORPHISME

Orphée est celui qui fait deux fois le **voyage aux Enfers** : la première fois (pour chercher Eurydice), il en est expulsé ; la deuxième fois, il y reste définitivement. Aux yeux des anciens Grecs, il a en quelque sorte

« reconnu » le terrain la première fois, et ne se trompe donc pas la deuxième fois : il sait par où passer pour trouver la « bonne » mort.

On comprend par là qu'il puisse être considéré comme un précurseur, celui dont il faut apprendre le secret pour savoir quelle est la meilleure voie vers la Mort, celle qui est définitive et permet de connaître le bonheur éternel (la vie terrestre étant considérée comme une épreuve pénible).

On connaît malheureusement assez mal l'**orphisme**, car c'était une religion *à mystères**, c'est-à-dire que les fidèles célébraient leur culte en secret. Mais on sait quand même qu'il leur fallait suivre certaines règles de vie, dont le végétarisme était la principale. Or cette règle absolue éloignait les fidèles de la religion civique des Grecs, qui était fondée sur le sacrifice sanglant et la participation aux grands banquets publics, où l'on dévorait la viande des animaux sacrifiés. Ils en étaient d'autant plus éloignés que l'orphisme exigeait d'eux une vie continuellement « pure », alors que la religion ordinaire ne demandait qu'occasionnellement une purification.

Ce dernier aspect a incité les premiers chrétiens à reconnaître dans Orphée un précurseur du Christ. Ceci explique aussi que le héros n'ait jamais disparu de la culture européenne.

# ORPHÉE : LÉGENDE ET MYTHE

Tous les épisodes de la légende d'Orphée n'appartiennent pas exactement au mythe.

Par exemple, l'essentiel du voyage des Argonautes tient plutôt, en ce qui concerne Orphée, de la **légende** : son interprétation est restée la même à travers les âges, et le rôle d'Orphée se comprend clairement.

Mais la descente aux Enfers, l'affrontement avec l'au-delà, sont bien sûr le noyau du **mythe**.

En dehors d'Orphée, d'autres héros sont descendus aux Enfers, Héraclès ou Thésée par exemple. Mais pour eux, cela a simplement été l'exploit ultime, le plus difficile à réaliser, celui qui rend leur « héroïsme » parfait. Pour Orphée au contraire, ce voyage est initiatique : Orphée en retire une connaissance et une conscience approfondies de la vie et de la mort.

Voilà pourquoi on peut parler de mythe d'Orphée, avec ses **variantes**, ses différentes **versions**. Ces interprétations constamment renouvelées, au fil des siècles, au gré des auteurs, montrent à quel point l'enjeu de cette histoire touche profondément les hommes : connaître la mort de l'intérieur, la provoquer et la défier, voilà qui n'a pas fini de nous interroger. ●

# Lexique

**Apollon** : fils de Zeus et de Lèto, dieu à l'arc souvent associé à Phœbos, le soleil. Dieu de la musique et des arts (il mène le chœur des Muses), dieu de la divination (dans son sanctuaire de Delphes entre autres), il utilise son arc pour envoyer la mort (souvent sous forme d'épidémie) ou la guérison.

**Athéna** : fille de Zeus, sortie tout armée de sa tête, elle est sa préférée. Déesse de la guerre, elle est aussi déesse de la raison et des techniques.

**Dionysos** : fils de Zeus et de Sémélé, à la mort de sa mère il termine sa croissance à l'intérieur de la cuisse de Zeus (il est « deux fois né »). Appelé aussi Bacchos, il est dieu de la vigne, de l'ivresse et de l'inspiration, ainsi que de la végétation qui meurt et renaît.

Son culte est l'occasion de fêtes (devenues à Rome les *Bacchanales*), où ses adorateurs entrent en transe. C'est aussi sous son patronage qu'ont lieu les concours de tragédies.

**Enfers** : séjour des morts, on l'appelle aussi : **chez Hadès** ou **royaume d'Hadès**. Contrairement à ce qui se passe selon d'autres religions, pour les anciens Grecs les morts n'ont pas vraiment d'existence, ce ne sont plus que de vagues fantômes.

*Orphée l'enchanteur*

Par la suite, avec la croyance en une âme immortelle se constitue une opposition du type paradis/enfer. Alors apparaissent les trois Juges (Minos, Éaque et Rhadamante) et les différents quartiers : les Champs Élysées réservés aux âmes des justes, le Tartare aux méchants qui y subissent leur châtiment.

**Hermès** : fils de Zeus et de Maïa, coiffé d'un casque et de sandales ailés, il est le messager des dieux, de Zeus notamment. Dieu malin et inventif, il a fabriqué la première lyre, qu'il a offerte à Apollon pour se faire pardonner une « bêtise ». Il est aussi dieu protecteur des voyageurs, des commerçants et… des voleurs. Enfin, c'est lui qui accompagne les morts chez Hadès.

**Héros** : dans l'Antiquité, personnage dont l'un des parents est un dieu, l'autre un humain. Par la suite, personnage doué de qualités surhumaines, comme ceux de l'épopée. Ce n'est que plus tard que le héros est le personnage central d'un roman ou d'une tragédie.

**Ménades** : adoratrices de Dionysos, elles suivent son cortège en brandissant le *thyrse*, bâton surmonté d'une pomme de pin autour duquel s'enroulent le lierre et le pampre de la vigne. Leur nom signifie les *furieuses*, les *possédées*, allusion au fait qu'elles entrent en transe, en plein délire, sous l'influence du dieu et du vin, se montrant alors capables de la pire sauvagerie.

**Moires** : ces trois divinités président à l'existence humaine, figurée par un fil : Clotho le file avec sa quenouille à la naissance, Lachésis l'enroule sur son fuseau au long de la vie et Atropos le coupe à la mort.

**Muses** : filles de Zeus et de Mnémosyne (la Mémoire), elles sont neuf. Elles chantent en chœur pour les dieux de l'Olympe, le plus souvent sous la direction d'Apollon. Peu à peu, chacune a reçu une attribution particulière : Calliope préside à la poésie épique, Clio à l'histoire, Polhymnie à la poésie lyrique, Euterpe à la flûte, Terpsichore à la danse, Érato à la poésie amoureuse, Melpomène à la tragédie, Thalie à la comédie et Uranie à l'astronomie.

**Mystères (cultes à -)** : à côté des cultes civiques grecs, regroupant les citoyens, et publics par définition, existaient d'autres cultes, auxquels pouvaient participer non seulement les citoyens, mais aussi des étrangers, voire des esclaves. Généralement ces cultes promettaient une vie après la mort, et étaient souvent en liaison avec des divinités de la nature (Déméter et Corè à Éleusis, par ex.) présidant au cycle de la végétation. Les fidèles (les *mystes*), après avoir été initiés, promettaient le secret sur la cérémonie à laquelle ils venaient d'assister, ce qui explique la pauvreté de nos connaissances sur le sujet !

**Offrande** : objet ou animal offert à un dieu sur son autel, dans son temple ou sur son domaine d'action (les champs, la mer…)

*Orphée l'enchanteur*

pour se le concilier ou le remercier. Certaines offrandes sont fixées par le rite (fruits, farine, gâteaux, ...), d'autres dépendent du donateur, le plus souvent des objets précieux. On fait également des offrandes aux morts pour les apaiser.

**Olympe** : le plus haut mont de Grèce (2 917 m), au sommet souvent caché par les nuages. C'est là que résident les dieux de la troisième et dernière génération, ou *Olympiens*, dont le roi – Zeus – a imposé à l'univers son ordre actuel.

**Oracle** : réponse donnée par un dieu à ceux qui le consultent, généralement dans son sanctuaire ; désigne aussi ce dieu, son interprète ou le sanctuaire où il rend ses oracles.

**Poséidon** : fils de Cronos et de Rhéa, frère de Zeus et d'Hadès ; dieu de la Mer et de ses profondeurs.

**Sacrifice [sanglant]** : type particulier d'offrande, puisqu'il s'agit d'offrir au dieu un ou des animaux. L'animal, une fois égorgé, dépecé et découpé, est partagé entre les dieux (graisse et os brûlés), et les hommes (viande bouillie et grillée). Avant cela, un prêtre examine ses entrailles pour y lire l'avenir ou la volonté des dieux. L'animal offert dépend du dieu (animal noir pour Hadès, par ex.), ainsi que de la fortune de celui qui offre le sacrifice ! Les particuliers pauvres « sacrifiaient » des figurines en forme d'animal.

**Satyres** : divinités de la nature, à pieds et cornes de bouc, et à queue de cheval. Laids et joyeux, ils sont souvent représentés poursuivant les nymphes de leurs assiduités ou accompagnant Dionysos lors de ses voyages.

**Tragédie** : forme théâtrale née à Athènes au VI$^e$ s. av. J.C et qui s'épanouit au V$^e$. Elle était représentée lors de grandes fêtes religieuses. Chaques pièce mettait en scène un épisode de la vie d'un héros, menacé par des forces supérieures, dieux ou destin. Pendant toute la pièce, ce personnage cherche à échapper à cette menace, en vain. Rien n'apaise les dieux : le héros est rattrapé et écrasé par son destin.

**Toison d'or** : toison d'un bélier ailé qui sauva du sacrifice deux enfants, Phrixos et Hellé. La fillette tomba dans la mer qui prit son nom, l'Hellespont (mer d'Hellé). Quant au jeune Phrixos, il fut recueilli par Aiétès, le roi de Colchide (Arménie actuelle), et l'en remercia en lui offrant la Toison d'Or, après avoir sacrifié le bélier à Zeus. C'est cette Toison que Pélias réclame à Jason.

**Zeus** : roi des dieux, dieu du ciel et de la foudre. Garant des lois et des serments, il protège suppliants, étrangers et mendiants. Dieu volage, il ne peut résister au charme féminin, des mortelles comme des déesses. Il est frère ou père de presque tous les dieux olympiens, et père de nombreux héros.

# L'auteur,
## GUY JIMENES

Né en 1954 en Algérie, il habite aujourd'hui tout près d'Orléans où il se consacre à l'écriture. Parmi ses livres parus : *L'enfant de guernica* chez Oskar, *La machine à voler les cœurs* chez Rageot, *Le jeu du dictionnaire* à L'École des loisirs, *La nuit des otages* chez Michalon, *Romulus et Rémus, les fils de Mars* et *Perséphone prisonnière des Enfers* chez Nathan. A obtenu le prix du Roman jeunesse pour *La protestation* (Pocket junior).

« *Le mythe d'Orphée a inspiré de nombreux écrivains et poètes à toutes les époques. J'ai emprunté à Ovide* (Métamorphoses, *livre* X) *le début de l'ode à la tortue (chapitre 4), une partie de la supplique d'Orphée (chapitre 8) et son adresse à Hadès (chapitre 9).*

*J'ai aussi emprunté à des œuvres sans rapport direct avec le mythe :*
*– au chapitre 8, "Pourquoi maintenant, pourquoi déjà" est librement inspiré de Jacques Brel* (J'arrive) *et "Ouvrez-moi cette porte où je frappe en pleurant" est de Guillaume Apollinaire, tiré du poème « Le Voyageur » (dans* Alcools*) ;*
*– au chapitre 11, le titre "L'Inconsolé" et plus loin "le Veuf" viennent de Gérard de Nerval* (El Desdichado) *; le chant du jeune garçon (continué au chapitre 12) est une citation de Lamartine* (Pensées des morts) *; enfin, la phrase que prononce Orphée "Ce monstre inhumain c'est moi-même" est de Guillaume Apollinaire, tirée du* Bestiaire *(dans* Alcools*).*

G. J. »

# Table des matières

# Dans la même collection

Œdipe le maudit / Marie-Thérèse Davidson
Un Piège pour Iphigénie / Évelyne Brisou-Pellen
Les Cauchemars de Cassandre / Béatrice Nicodème
Les Combats d'Achille / Mano Gentil
Ariane contre le Minotaure / Marie-Odile Hartmann
Le Secret de Phèdre / Valérie Sigward
Orphée l'enchanteur / Guy Jimenes
Rebelle Antigone / Marie-Thérèse Davidson
Hector, le bouclier de Troie / Hector Hugo
Les Brûlures de Didon / Gilles Massardier
Médée la magicienne / Valérie Sigward
Le Bûcher d'Héraclès / Hector Hugo
La Quête d'Isis / Bertrand Solet
Prométhée le révolté / Janine Teisson
Les Larmes de Psyché / Léo Lamarche
Persée et le regard de pierre / Hélène Montardre
Thésée revenu des Enfers / Hector Hugo
Zeus à la conquête de l'Olympe / Hélène Montardre
L'Amère Vengeance de Clytemnestre / Michèle Drévillon
Ulysse, l'aventurier des mers / Hélène Montardre
Romulus et Rémus, fils de Mars / Guy Jimenes
Perséphone, prisonnière des Enfers / Guy Jimenes
Jason et le défi de la Toison d'or / Nadia Porcar
Icare aux ailes d'or / Guy Jimenes
Méduse, le mauvais œil / Anne Vantal
Io, pour l'amour de Zeus / Clémentine Beauvais

N° éditeur : 10262595 – Dépôt légal : août 2014
Achevé d'imprimer en février 2020
par La Tipografica Varese Srl, Varese - Italie